好好爱自己

素黑

中信出版社
北京

我，并不是奇迹，
我只是尊重生命，
尊重自己作为一个女人的生命，
谦虚做好一个人而已，
无暇浪费光阴，白走一趟。

素黑

我，活在现实里

自序

　　曾经有个找我做心性咨询的男律师客人坦白对我说，他不希望女儿将来像我一样做作家，太苦了。他希望她学一门专业，像他一样，将来能保障生活。

　　假如我有一个女儿，我会告诉她，好好寻找你的梦，实现你的梦，做你想做的事，做什么都可以，做好它，对你的选择负责。

　　不少读者和媒体朋友经常对我说，素黑，很羡慕你拥有这么丰富的一生，活了人家几世的生命。我无法做到像你一样豁达，放得下那么多，拥有那么多。

　　别羡慕我，我经历过的，我敢肯定，知道内情的话，一万人里没有一个愿意同样经历、坚持和承担。

　　别只听我写或说什么，有机会，看我经历过什么，做过什么，那才是真实的我，而不是你想象中构想里那个神秘的我。我愿意把我经历，体验，走过的路和大家分享，和我爱的人分享。我的生命，就是分享。

多年来，每个人的来信我都亲自处理，从来没有助手。我记录每个人包括朋友来信的日子，细心做好档案。十年前的读者再写信给我我也能认出。这不是寻常的工作，也确实没有必要，但我还是细心地做了，这是我对每个生命的尊重。我重视他们，即使他们有些并不尊重我，甚至中伤我。不喜欢我不重要，重要的是，你要喜欢你自己，好好爱自己。每个生命要面对的不过是自己，不是他人。

人要活坏很容易，活好却很艰难。身边太多活坏的人，可能不是他们刻意选择的，但他们却承担不起生命中的业障。可以美丽，简单一点，把自己交给自然，交给天，也许是最后的解脱。或者，我一直想象人可以变好，一切可以变好，只是我宁愿美化一切的借口。最脆弱是我，最坚强也是我。

我的一生已够了，把我最好的奉献，便能安息，静静离开这世界。我没能力只为自己的安好而活，最快乐、最痛苦时候，我愿意同时把爱默默输送，这样很好。我没有宗教，也不需要。我没资格做爱的权威，告诉别人什么是爱，但我很愿意分享我感受过，实践中，具体的，亦伤痛亦快乐的爱，所以我还没放弃写作，还在发展心性治疗。最纯粹美丽的爱是有可能的，请别轻易否定或放弃相信。我希望世上不只我一个人能活现它出来，哪怕到最后可能不过是我一个人天真多情，我愿意继续坚持。

爱是最大的孤独，这点，我切身感受。

一位多年来不断尝试各种宗教和身心灵治疗，希望从中找回自己的女客人告诉我："我现在明白了，寻找自己的路，照顾好身体，享受生命，对自己负责任，这是你教我的，对自己的生命完完全全地负责任，这才是真正的爱。我不再害怕了，谢谢你把我拉到岸边，踏踏实实地找到立足的重心，不再浮沉。我已活在现实里，我的心变得很强壮。"

其实我没有改变她，我只是在她面前做回我自己，让她看到一个女人可以活得平静、强壮、丰盛和有爱的真正能量源泉在哪里而已。那绝对不是妄望恋人能给我照顾，家人给我力量，读者给我支持，甚至从任何物质可以获取的满足，而是对生命对自己对地球一份无条件的信任、问责和爱，无惧孤独，勇敢去爱，相信，实现梦。活在现实里，具体行动，实实在在，不再幼稚幻想，这是每个人应追求的生命状态，也是活着最强壮的力量。像我这个外表柔弱，资质一般，际遇平平，情感丰富，能力有限的女子，一样可以活得心安理得，坚强，平安，能分享爱。我，并不是奇迹，我只是尊重生命，尊重自己作为一个女人的生命，谦虚做好一个人而已，无暇浪费光阴，白走一趟。

我不想等待，我只向前走。

有人好奇我写爱，到底私下怎样爱。我写的跟我做的没分别，信不信由你。爱是复杂的，像人的本质，但也可以很纯粹。我，一直都是这样默默爱：

他爱我，我加倍爱他。

他体贴我，我无限感恩。

他包容我，我没有骄傲。

他忘记我，我体谅他。

他忽略我，我更独立。

他冷漠，我依然热情。

他隐瞒，我没有保留。

他自私，我给他机会成长。

他粗心，我更照顾好自己。

他脆弱，我更强壮。

他伤我心，我坚强自己。

他没兑现说话，我给他鼓励。

他需要扶持，我随时准备好付出。

他累了，我照顾他安心睡。

他难过，我微笑吻他的愁。

他迷失，我点灯守候左右。

他失败，我不离不弃不灰心。

他快乐，我比拥有一切都满足。

他生病，我宁愿代他受苦。

他浪子归，我窝暖紧紧抱。

他狠了，我对自己更温柔。

他变质，我祝愿他变好。

他背叛我，我为他祷告。

他否定我，我更肯定自己。

他让我失望，我说我爱你。

他对我不起，我说谢谢你。

他离开，我随时在。

他消失，我活好自己。

　　爱累了，心死了，没缘了，我说对不起，原谅我，谢谢你，不勉强，安静地出走。撒一点泪，微笑上路，好好爱自己，好好修自己，但愿人长久。

　　爱也许真的很苦，但走过崎岖山路，攀上山巅，张看游移天地间纯粹的宽大与寂静，得到的，便是超越痛苦的喜悦与平静，身心灵天地人合一的壮美与圆融。一切，非常值得。每个人走自己的路，可以更艰难，可以更轻松，终站风景该一样好。很难吗？太不可思议吗？我只能说，很不容易，但，是可能的，是可能的。能这样去爱，在觉知里，可以很美丽，很享受，很幸福，没遗憾。但愿你也相信，愿意，享受，感谢一生有机会这样爱。

　　好好爱自己。合十。

　　特别鸣谢国内的朋友曾子航及杨幂、台湾的伊能静、香港好友梁文道、尺八挚友行者，还有张婷婷、《周末画报》及耐心包容我超高要求的此书策划者张国辰。谢谢你们的爱。

素黑

2010年1月于北京

2010年6月修正于香港

V

目录

爱

爱 vs 感情

　　某读者问我，我常说更大的爱是广义的爱，跟狭义的感情有什么分别呢？

　　她说："我搞不懂我的感情算不算是爱。"

　　感情和爱是没有矛盾，可以并存的内在体验。

　　爱是一种由感情出发，可以转化成强大力量的能量。

　　感情是爱的第一步，它的终站却不一定是爱。

　　感情是脆弱的，夹杂太多欲望和心瘾，太多爱恋关系只停留在感情关系瓜葛的层次便完结，还没有机会踏进更高层次的爱便已关闭，这是很可惜的。

　　但感情可能是爱必经之门（除非你出家修行），让凡人通过此门坎步向更大的爱，更大的生命能量，这一步，也许就是你的生命意义。

　　我们没有需要一步登天，可以先从最基层的感情出发，感受激情、依恋、爱欲等，这些都是有价值的，可以很美丽的情感状态。

　　感情本身是延续和滋养生命的最大支柱，凡人修很多世一点一滴建筑的路。假如我们可以放下自我，简单地活在仁爱的温度里，我们可以品尝到感情的甘美，然后走向更大的爱的境界。

　　对很多人而言，生命最重要的，其实可能只是拥有最平凡但温度恰好的家人、可以拥抱着所爱的人的缘分，和对众生及地球的慈悲。

　　爱，亲近但遥远，一生中能有幸拥抱值得爱的人，值得尊重的生命，已经是最大的福分。

　　不过在我们还没有好好爱自己前，其他一切，都只是思想的幌子，所谓的爱，也可能不过是感情用事的结果。

爱不是目的，

而是优化生命的过程。

爱就是修行。

爱情最终的功能，是响应一个最根本的存在问题：人为什么要活着。

爱的喜悦没有离开你，只要你愿意接近它。

爱的本质是成长，终极是超越限制，朝向无限。

爱是个人的修行，借另一个人调校双方的能量。

爱得从爱中看穿和修理自己，才算没有错爱过。

爱是灵性自疗的过程，走歪了便是重复，走对路便是自由和解脱。

爱是一生修行的路，相爱时享受，相处时互相尊重，即使没有缘分走在一起，这份爱已一生一世。

爱是修出来的果实，掏尽感情的美丽感动，需要时间和耐性，承担和放下。

爱若没有让生命有所提升，便是白爱了。

爱最怕是退步，不是找不到答案。

爱情没有福德一致的回报，正如人生一样。

惯性麻木是爱的死穴。

不论爱过多少次，爱的本质都不应改变。

爱情的真相是什么呢？就是在镜中回照自己，认清自己之后，学习放下。

高质素的爱能超越欲望、感性和道德，提升智慧和心性，让心灵更富裕，心更稳扎坚定，不再害怕孤独。

恋爱本来便是去体味人生，肯定存在的意义，在独特的对方身上所投射的独特欲望，看清楚自己的限制、弱点和人性真面目，从中学习成长，体验来访此生的意义，也从付出的过程中，学习自我进步和感恩。

爱情最重要的意义，在通过与对方相处修行自己，让自己成长。

真正的爱是双方心智上的进步。

爱是步向成熟的智慧旅程，不做逃避长大的稚童。

强壮的人才有力气投入爱，只想掏取被爱感觉，或者借爱情逃避生命的人，没有能力看透、体验和享受爱。

不要勉强，不要强求，爱必须心安理得，顾己及人。

能够感谢，便能包容情侣间一切的恨，爱才真正体现在心里，才有资格说一句我曾爱过，很深地爱过，知道幸福是什么。

爱是个人的修行，

借另一个人调校双方的能量。

当有缘去爱和被爱时，一定要全然接受和珍惜，我们原来没有能力承担失去它的遗憾。

宽容，爱情最大的道行，未能做到，不算真正爱过。

爱不是目的，而是优化生命的过程。

爱并不在外边，而是内在的声音、回音和诉求，提醒我们的需要和缺失。

爱是内在的能量变化活动，也是自我调整、自我更新的活动。

爱从来在我们里面。

凡人穷一生大抵就是为学习爱而来的。

爱自己，爱别人，爱不应爱的，爱应分爱的，爱世界，爱地球，爱太空，爱宇宙，爱无限，甚至纯粹为爱"爱"的本身。不爱的话，活不过去。

世上最富有的人是谁？不是神，不是富商，而是心胸宽大平和的人。他们不会受伤害，他们活在爱内。你也可以这样。

信仰是人自我投射的产物，爱情也一样。

爱是互相反照的明镜。

我们无法靠自己一个人看透自己的一切，但在爱情里，因为有欲望、要求、幻想和执著，我们的本性有机会原形毕露。爱情根本就是一面镜。

我们都需要爱情，因为我们还未完美，看不透自己。

恋爱让我们看透自己的盲目和软弱，是脱胎换骨的起点。

爱情对象是谁并没有绝对意义，其功能只是反映你某些本性和能量状态，最明显的是反映你的情绪状态，你在爱人面前最愿意释放自己的真面目，有机会看到真正的自己。

对方只是反映你的内在问题，对方的问题可以影响你，但关键还是你为何会被影响，你缺失了什么而心乱，能量被干扰？他的问题，最终还是反映你的问题。先处理自己的问题。

爱人是反照我们内在缺失的一面镜子，所有的缘分都是反映我们生命的镜子。

借爱人反照自己，面对自己，了解自己，袒露自己的优点和弱点，看到成长进步的空间，明白生命的意义，学习适应跟最爱的人生离死别，正是修养自己，提升生命的机缘。爱，就是这个意思。

用心去爱一个人很不容易，需要花很多能量，同时要花更多能量去管理与生俱来或文化导生的诸多欲望，才能养活爱，令爱变得深刻，不怕分离。

说爱你多么容易，以为有能力付出爱，对自己的爱很有信心也不难，但真正能感染正面强大的爱却非常困难，那是修行的路。

爱是感恩的礼物，借伴侣反照自己。

你的另一半原就是你自己。

你失落了的另一半，并不需要向外找，而是要向内找。

恋爱的对象即使已改变，但爱没有跑掉，爱还在。

人在干涸的感情世界里容易堕入一相情愿的幻想中。

世上没有关系是百分百不变的，相反，真正一成不变的关系，也未见得是好事。

爱的体验每刻都在自我更生，我们不需寻求理解一个叫恒久的爱的东西。爱在变，世态在变，你我得每刻更生，不然无法适应变幻无常的爱情。

人要面对爱，得先接受无常和变幻，知道养活爱得靠自我提升和进步。

爱自己，爱生命，

爱世界，是爱情的根。

世界上没有完美的关系，假如感情一开始是真挚的，已经是很好的缘分。

现实总是比幸福距离远一点，爱的意义就是把那个空隙填上。

爱，不为什么的存在着。

活着是为了体验爱。

最好的关系，也有可能走到缘分的尽头，这里没有道理可言。

岁月才是最真实，关系可以很单薄。

爱真的够坚定和深度，不需靠制度去保管，天地还在已经足够。

爱没有技巧，进去就是了。

人萍水相逢，少暗算目的，才容易建立真感情。

谈恋爱并不等同已经拥有爱，恋爱要慢慢培育，少心急多用心，上路便是了。

爱不是理性盘算的对错或感情用事的结果，只能打开心眼看清楚自己的盲点。

爱这个字，不同时候可以有不同的诠释，爱与恨的所有理由，都是自编自导的戏。

两个人走在一起，是好是坏也许是命中注定的业障，但其实更多是你选择的结果。

经历就是爱的厚度和层次，无须任何意义。

爱不靠认知，需要经历和修养。

经历就是爱的厚度和层次，

无须任何意义。

爱情是美好的，当你可以成熟处理和享受的话，结果并非最重要。

缘分没有眼睛，只有出场时间表，安排爱人按时按序进进出出，不得异议。

爱永远是大方呈现和分享。

爱的来源是我们的心，而非向外取求。

爱不在尽头，而在路途上。上路就是了。

爱是黑暗的曙光，没有悲观的必要。世界已有太多不幸，我们还要借爱的力量制造更多的不幸的话，实在浪费了爱。

爱情很重要。恋爱教我们如何通过能量的交流达至仁爱的境界，让生命加添色彩和温情。

对于爱，你无法勾画出一个清晰的影像，但却有很多感觉和幻想，只是，这些感觉很复杂，爱恨喜恶同时出现，令你无法确定爱的具体。

没有人需要一张爱的check list才能投入爱。没有人有资格和能力界定爱是什么，但相信爱又被感染的人有很多，因为爱是信念，让人活得下去。

只要有爱，没有什么需要被否定。爱自会处理之。

爱情最叫人享受的感觉，大概来自剖白前的忐忑不安。未发生的，永远最诱人迷惑。这么在猜疑与剖白之间一段小小的距离，才是爱情叫人最疯狂的小秘密。

能不能将爱转化为性高潮一样，留不住，记不来，甚至无法被整全地记录，却可以刻骨铭心，一世受用呢？

每个人都希望得到爱、体验爱，可是失去"爱"的能量，最终只能谈"情"而已。所谓谈情说爱就是这个意思：爱，只能沦

为说出口的情感（emotion）表态和渴求。感情（sentiment）是
情感表现的一种，不等同爱。感情跟爱是有分别的。

爱最难，大概是收放与取舍的智慧。

爱能有那么强大的正能量，讽刺地同时也拥有强大破坏力，于
是，爱的背面就是恨，享受的另一面是折磨，付出的同时是占
有。这是阴阳二气互动的结果。能看穿爱的流向，能平衡和平
静自己的心，才能真正深爱。

爱一个人，是体现自己有没有能力抓紧幸福的机遇，因为人与
人之间聚散有时却无期。

爱自己，爱生命，爱世界，是爱情的根。

恋爱中不一定有幸能适时了解和被了解，更重要是能包容彼此
的步伐，接受各自现在和将来的变化，愿意良善地一起走，互
相关爱。

面对暂时没缘分和谐相处的爱人，别着意耗损心力为爱解释或努力，反而应保存爱的能量，先爱惜自己，珍重自己，爱的信仰便不会丢，也不怕失去。

爱最大的障碍不是真假对错，不是受尽伤害，不是无法被了解或体谅，不是真命天子出现无期，而是在投入爱的过程中，无法接受自己同时暴露的软弱，在无常中无助不安，在焦虑和贪欲中难以平衡情绪，安慰难以挥去的孤独感，结果自制绝望和恐惧，失去对爱的信念。

爱需要成熟地营运和栽培，承担责任，这责任是为保护爱，不是道德。

缘分在，彼此能量合得来，便一起好好走一段，珍惜拥有时的幸福，准备离开时的适应，和再上路的力量。

女男

为什么他这样对我

感情困局中，拟似受伤的一方总爱问："为什么他这样对我？"

更原始的问题其实是：为什么他这样对他自己？

他所做的所说的，或不做的不说的，总有因由，即使那因由是不近人情，绝对自私，或者不能自已，也是他的过活方式，在他的限制中的选择取向。

他为什么要这样过活，这样做人，对待自己的生命，处理自己和别人的关系，本来便需要向他自己交代，反省到底有没有更妥当的方法和选择？自己到底应如何活得好一点，和别人更好地相处？

每个人决定做任何事情，都要承担责任，但更多时候，可是力不从心，身不由己，所想的跟所能做的是两码子事，虽不一定是存心捣坏事，但事与愿违也是人生常态。

简单的说，他为什么这样对你，并不一定出于他的意愿，只是他的能力有限，不能尽善尽美，满足你的同时也让他更好过而已。

人缘上太多无法解释的矛盾，每个人最终只能诚实面对自己的生命，体谅一切不如意的发生。

每个人都有限制。

当我们不满别人如何对待自己时，也可想想这个中无奈的现实和道理，接受一切，可原谅的原谅，该放下的放下，给自己的心情自由的天空。

把心绪堵塞在别人生命的误差上埋怨、不忿、要求解释、平反你的不安，除了痛苦，不会为你带来正面得着。

让不完美的人事存在，向更美好的愿景张看。

女人只能改变自己，
不是男人。

男人要学会爱，女人要超越爱。

阴阳本质是为互相包容，协调生命能量，而非服务彼此思想里塑造的那个男人和女人。

女人只能改变自己，不是男人。

太多女人放不下感情的执著，以为死执一个不容别人分享的身体便是最大的感情胜仗，这是愚昧的想法。

男女都贪，没有谁比谁更花心。

脆弱没有专利，男女都必须坚强，才有爱的能力。

男人不自觉贪性，女人不自觉贪情，结果发明了爱情。

男人的终极欲望是性交和阴性的包容，女人的终极欲望是爱恋和刚阳的倚靠。

女人总希望把男人神圣化，男人却总爱把女人肉体化。

女人以为可以在男人身上得到爱，男人以为可以在女人身上得到性。结果男人赢了，因为得到性远比得到爱容易。

男人的生理还未进化，女人却有心灵条件追求更大的福乐，只要懂得欣赏自己，向前看，别退步。

男人觉得需要保护弱性女人的性别使命，可以是逞强的病态。

男性最大的心理障碍，是男性霸权文化赋予他们的面子问题。

女人因天生肩负生育和抚育的责任，早已发展爱的本能，方便孕育和承担，所以女人的生命不是全然为自己。于是，付出爱的女人需要补充很多爱。

女人倾向过分努力费尽心神地付出，容易不自觉因沉溺、上瘾而自虐，制造压迫感；男人倾向过分懒散或理性地处理感情关系，对不能理解的感情需要无法投入和花心思。

脆弱没有专利，
男女都必须坚强，
才有爱的能力。

冲着母性的关怀和爱心，希望爱一个不快乐的男人，是女人滥情的病态。

女人别为了修补男人的残缺伤害自己的幸福、尊严和健康。

面对男人的软弱，女人无须背负他，扮演伟大的角色，只怕你也承担不起。

付出了，对方无面子领受，需要找个弱者平衡自己的话，也是他的选择，两性权力关系的现实。

男人别让女人不停为自己付出，因为所有感情能量的交流，最终得由自己承担。

女人总以为拥有无限能量，可以溶化这个世界的恨，这种为全人类牺牲的超级母性想法，其实是性别文化长久以来的副产物，叫女性承担世界的运转，用所谓爱、包容、宽恕等看来不俗的字眼，令女性忍耐和付出。原来，大家都在自欺欺人。

女人花一生去守候和期待，男人花一生去许诺和忘怀。

男人不想记起，女人不忍遗忘。

最叫女人伤痛的，当中可能55%是了无期苦等男人兑现自己的承诺，45%是女人一相情愿的爱情幻象没实现。

女人希望和男人活得幸福，条件是感情深厚，经济无忧。男人希望和女人活得幸福，条件是经济无忧，享受自由。于是，女人为感情为财富为安全感压抑性享受，不懂释放彼此的自由，男人为财富和性享受，被道德管得太紧，却管不妥性和爱。最终，无能的男人自卑又自大，强壮的女人自怨又自艾。

女人要是肯豁出去，都比男人走得远走得狠。

女性的自我价值，从来不需由男人赋予。

传统上修行的都是男人，因为他们缺乏纤细的感性和爱。女人不用问理由便去爱，麻木得可以，力量却很强大。

男人不想记起，

女人不忍遗忘。

女人对感情的敏感，可以说是细腻，也可以说是无中生有。

是社会对女性太过压抑，致令女人在男女关系上无法从容自处，被迫活在道德的阴影里，身不由己，不能自已。

希望把男人据为己有，是女人在爱情中最大也最暴力的秘密欲望。她们懂得把占有欲转化为一个伟大的字：爱。于是，女人永远可爱，永远是受害者。

希望和很多女人只有性关系的欲望和生理本能，是男人最大也最无助的秘密欲望，只能转化为权力和名利的追求。于是，男人永远具侵略性，永远是伤害者。

多少受伤的男人，因为努力想了解不可理喻的女人而独自憔悴，女人又何曾知道？

女人经常在认为被伤害的同时，也在刻意或非刻意地伤害别人，制造受害者，两个人受伤比一个人受伤好过一点，借女性独有的软弱和方便，假装无辜掏空男人。

男人不要故意去理解女人，女人也不要故意去理解男人，不要笃信"男人从哪颗星来、女人从哪颗星来"的坊间神话。说到底，男和女都从同一地方来：女人的子宫。

男人应该学习变成一个子宫，学习她的包容。

男女在沟通上有很大的鸿沟，双方只能用心尝试进一步沟通，学会透视对方的心，先关怀对方的感受，而非返回理论或猜疑，计算谁是谁非。

男女有很多沟通上的误会和矛盾，原因是彼此对语言的制作目的、后期处理和生效日期的准则大不同。
明白自己和对方的性别强项及缺点，感情关系才能成熟。

男人的沟通基础是当下的意愿，尽快解决问题离开对话和关系。女人的沟通基础是制造永恒感觉、意义和记忆，尽量延长对话和关系。

女人永远无法明白，男人爱理不理和优柔寡断的存活方式自有他的道理。

男人永远无法理解，女人生死攸关地执著身躯和爱情，也有她世袭承受的压力和需要。

男人的思维是线性的，不会转弯抹角；女人的思维是网络式的，很多枝节，容易混乱，没有人（包括她自己）能理解，追踪来龙去脉。人总比自己想象的武断，应多用心了解对方，别妄下道德判断。

女人需要的不是男人不合时宜的分析或意见，而是被关注她当下的感受，像孩子哭喊不一定表达伤心，其实只想引你注意，提醒你已忽略了她。

当女人转弯抹角时，你应知道她在等你肯定她，可能正是你过分自我中心伤害了她，让她感到不受关注需要自我保护，所以才不敢直接表露自己。

先沉默，运用身体语言如拥抱和爱抚给她肯定，远比你跟她理论和说道理能更快地让她平静下来，然后再跟她好好沟通，问题才容易显现。

沟通并不必然等同可以对话和理解。

对话是假的，只是独白的变相。

每句话都有限期，而限期不在时间，在情感的极限。

修补关系的原则是可以谈的便谈，不能谈的不要勉强，也不能执著。

假如无法把话说清楚，便要依靠别的途径。沟通的重点不在语言，而在心，可惜用心沟通是现代人最残缺的能力。

沟通应该像流水一样，不能隔着沙石，不然会翻起波澜，即使水还是继续向前流，却不一定到彼岸。

每句话都有限期，

而限期不在时间，

在情感的极限。

感情的交流只适合细腻和深层的方式，心有溪水的温柔和海洋的澎湃多重层次，擅长传情达意，触动心灵。

水磨的力量，能平滑坚硬的石头。学习开发心语和爱人关爱地沟通，远胜千言万语。

爱女人是一种艺术成就，也是男人学习打开情感禁区的自我修行。

每个人都有两个性别的特质，即男人的女性本质和女人的男性本质。我们只是在鼓励单向发展的文化习染过程中，惯性将单一的性别张扬、放大，在性别角色上努力地做很多功夫，让自己变得更像一个称职的男人或女人而已，却忘记了潜藏的另一个性向，那个令生命更整合的内在异性。我们粗心地失去了隐性的"另一半"，眼前全是一大堆男女是非关系，你不明白我，我不理解你，却无法停止爱恨纠缠，错过许多青春岁月。

当男人活出他的女性，女人活出她的男性，从了解异性的执著中，返回自我了解的原始性，我们才够成熟处理男女间的爱。

两个人两个世界，婚姻只是一张纸。

每个性别都有它的死穴，每份感情都不能强求专利，这可能并不是每个人的意愿，但起码是每个人要面对的感情现实。

重整自己的身份，寻回失落的自尊与自由，才是女人最光荣的面貌。

男人说爱并不等同懂得保护女人，了解女人的心。说到底，护心使者的责任，还是应由女人靠自强自爱来承担。

女人不老的秘诀，是独立自主，自我开发。能做得到，便不怕老，不怕丑，更不怕死，快乐像神仙。

学习成熟地处理感情问题，尊重他人，照顾别人的感受。

不要一直埋怨别人不理解自己，因为别人同时也认为我们不了解他，在大家都希望对方为自己改变时，争执便会发生。

口不对心，心不对脑，是很多女人的感情问题真相。

女人需要的是有能力爱女人的男人，而不是借女人安慰自己的男人。

女人需要为自己储蓄多一点正能量才有力量爱，别再为其他人，尤其是表面需要她的人虚耗自己。

性能量

调情

　　男友喜欢跟其他女人短信调情，互称老公老婆。被女友发现后自辩不过是文字游戏而已，不是认真的。

　　女友对他失去信任，觉得他迟早会受不住诱惑和其他女人搞上。

　　男友觉得只是玩玩而已，心里没有想过背叛女友就行了。

　　女友觉得是天大问题，想到是否要放弃和分手。

　　男友觉得只是小问题，无须小题大做。

　　说是文字游戏是真的，但玩出火的危机也是蛮大的。女人对男人好玩的忧虑可以理解，觉得不只是文字游戏也有理由。说白了，这种游戏的背后并不纯粹，它附带了性挑逗、性幻想、性贪婪、性打猎和性虚荣的隐藏意识，超越了一般交际的言行。

调情的背后不只为打发时间，而是放野猎取贪欲和被挑逗的快感与虚荣，是会上瘾的，容易过火，把持不定。

调情游戏适可而止，作为开场白不坏，两句以上持续下去便有纵欲的危机。

人不是神，别太笃信自己的定力，也别要求伴侣信任你连自己也无法维持的定力。

别自辩你是开放的，伴侣也可以和其他异性调情。将心比心，同样的事发生在伴侣身上，看到伴侣和你一起时还含情顾着发短信给另一个异性说想念他、亲亲时，你心里是毫无感觉还是心感不安？伴侣一句不过是文字游戏时，你觉得被尊重吗？

尊重伴侣的感受，管好自己的欲望，才有资格叫伴侣别乱想要信任你。

最深层次的性，
是带着最深度的爱。

最深层次的性，是带着最深度的爱。

性可以是治疗，同样可以制造更深的伤口。

性你的爱，爱你的性，不执著性爱二分，当礼物一样送给自己和爱人，人生已经足够。

性是爱的表达方式，不应是被利用来满足一己私欲的工具。

性能量能补给我们的不足。寻找另一半，跟对方性交合，是增强性能量，丰富人生意义的方法之一。

性能量很重要，其重点不是做爱，而是创造性（creativity）。

身体蕴藏无穷创造力，而性爱是最容易获得震撼体验的身体状态之一。

尊重和爱护你的性爱，不要否定或放弃，了解自己的性需要和性能量状态，学习释放和包容，从中提取生命的乐趣和力量。

性是尊贵的能量

性能量是我们最核心的动力，能影响我们决定什么，如何行动。

性能量具备强大的推动力，是人往往忽略的既有重要能量。

性是流动的能量，它只是一股能量，没有装上眼睛。观照和掌握它，能把它转化成平衡的力量。

不少女性对性的渴求很大，却不懂得释放，也不知道原来应该释放和承认，一旦找到开发自己能量的泉源，生命的花才会盛放。

千年的修行方式如道家、印度的谭崔（tantra）等，都以开发性能量为提升灵性修为的重要入口，能开启生命的灵眼。

性是人最具爱和生命力的能量宝库，也是提升和谐爱侣关系的重要门槛，两个人由心出发交换性能量能振奋精神，活得更有冲劲和动力。这是性在婚姻和感情生活上可发挥的强大影响力。

性是尊贵的能量，不要为只懂榨取的人付出，剥削性能量。

能给予强大能量，令人回复青春感觉的性爱，在乎双方对开放身体和灵性交流的认同与合作程度。

能提升性能量的性爱，本身便是青春的保证。

女人应返回自身发现性原动力，找到做爱的乐趣，从性爱中提升性能量，体验更大的爱。

性刻意不来，让性能量慢慢修补自己。

性和生命都是宇宙的恩赐，本来无一物，也不要太执著来来去去。

为什么总要将性和爱二分呢？当它们是一致的时候，它们是不能分开的。当它们是分开时，没有人能把它们合上。这就是很多男女关系的现实，不管他们是什么关系。

优质的性爱能超越生命，
其本身便是永恒的入口。

对性的向往是天性，这不只是男性的特质，也是女性独有的天分。

女性拥有很纤细和敏感的性欲念，却很少被她们觉知。

身体懂得提示我们现在的精神能量状态，性欲驿动了，表示我们内在还有澎湃的能量，没有理由妄自菲薄，自我否定；性欲低潮时，甚至只将性关系化，变成维系二人的公式动作时，表示业已丧失了生趣，可以是很严重的警号，提示自己已活得行尸走肉，没有意义了。是时候重拾活力，改善关系，不然，危机已经降临。

身体是我们最大的筹码，让我们享受生命，享受性和爱。

女性要好好照顾自己，了解自己才有筹码享受性和爱。

爱惜身体，尊重身体，才有资格要求做爱。

纯粹借年轻的身体享受性的快乐没什么不可，但性和青春，却不是必然的最佳拍档。

官能刺激以外，性爱最神圣的地方，是和身体靠近，和人靠近的微妙关系。

优质的性爱能超越生命，其本身便是永恒的入口。

性经验不愉快的人，太多都只在思想做爱，忘记用身体感受，纯粹让开放的身体交流彼此的能量。

摒弃用思想做爱，才是我们应该细意追寻的性爱终极意义。

不要计较先付出无私的性和爱，只要是真诚的付出，必定赚回悦乐和自信，无须否定自己或谁人的身体。

爱情和性爱关系的核心是：没有谁拥有谁，性不是拥有。

爱惜身体，

尊重身体，

才有资格要求做爱。

两人真心相爱过，经历过水乳交融的性爱，感受过性高潮时双方给予对方的神圣力量，这段关系，已经足够。

爱在当下便应完成自己，像性在每个当下完成独一无二，不能回头再来的独特体验一样，我们每次能顺利完成它都应该庆幸和感谢。

性爱最重要的一刻是余温。

两性都需要打开对性和身体的盲点，开放身体，多认识和欣赏对方，加强性爱的沟通，做爱才有多一重意义。

保持美丽的真正秘密不是化妆品，不是美容疗程，更不是天后女星推捧得愈来愈浮夸的护肤品，而是快乐，自信和自如的性与爱。

女人若能绕过道德的门坎，听从纯粹自然的唤召，按照自己的步伐走进性爱的国度里，将切实感受性爱的真正乐趣，喜获性爱给予的强大生命能量。

女人需要反观自己的性史，发掘潜藏的性能量，扬眉自负。

面对性时，不再执著谁负了谁，谁是谁非，谁升天堂谁下地狱，甚至谁最观念正确，对性最开放。重要的是，体察彼此的需要和感受。

女性能够豁出一步，反观自己的性史，赤裸面对自己的性经验和情欲感觉，原是最正面不过的自爱方式。

女性性解放的高潮不在争取性权，而在性趣的追寻与肯定，走出历史和文化的框框，自由得叫生命容光焕发。

女性在性面前不敢婉拒，要求和表白，不但是未能承担性，也没机会让对方了解她的性态度。女性在表白性态度上，应该负上责任。

做爱做的事，女性要管理好自己的性爱，才能活出应有的自信和快乐。

女人的心比脑袋开发得多，所以女人爱闭目去做爱，用耳朵聆听性气流，性爱世界多了聆听和沉醉。

关系中最悲哀的莫如失掉感觉，没爱没恨没笑没泪的纯身体摩擦，自然也得不到神圣得可以的性爱快乐。

借年轻的身体摄取青春的性能量，并不等同得到永恒。就像涂化妆品，最终也没有永恒青春的保证。

我们可以无限欣赏青春的身体，却不能借用。

我们要懂得从负面的性经验中抽身出来，肯定和保护自己的身体，提升自己对被性伴侣不尊重和伤害的免疫能力。

自虐的人都享受痛，自虐的性更加需要痛。

由心瘾勾起的性能量，若没有足够的爱去支持，容易从高处反弹跌得更伤，容易变得更空虚，流失更多能量。

性生活不协调，影响感情关系，是现代人最不敢面对，又最无力自助求医的感情死结。关键却只是肯不肯开口，想不想解决。

女人一相情愿以为爱比性更重要，男人妄自尊大认为问题不可能在他那里。结果同床异梦，分歧加深，到最后出现第三者，因性之名而分手感到难以过去，以道德自责和谴责收场，无辜否定关系也否定自我价值。

性生活得不到满足，应该及早处理，坦诚相对。讽刺的是赤体相对原来远比豁开内心更容易更自然。

大胆性爱言论挂在嘴边，将性行为放在操控的暴力窝囊里，以为这样才能掌握自己，控制别人，却不知道这只是将性和两性关系概念化，将伴侣沦为情欲发泄的工具，那并不是真正的性爱。

以性爱作关系的墓碑是玩火的尝试，容易自焚，更糟的是，陪葬的可不只一个人。

性压抑是要释放的，不过释放要得其法合其所，不然反而徒添更大的痛苦，沦为自我否定。

任何一方在非自愿情况下跟伴侣做爱，其性能量只会被掏尽，压抑，甚至摧毁。

欲望

你的欲望是什么

知道自己的欲望，便知道自己最大的限制是什么。

人最难改变的是性格，但可能更难改变的，是面对欲望时能不被它影响的人性脆弱。

去过赌场的话，不难亲眼目睹人在欲望的操控下盲目迷失自己的局面。再明显不过的理亏是，你能在短短一分钟内输掉你的所有，就在你的一个决定上：买大还是买小，投下筹码还是收回贪念。而这决定看似理性，但其实只是欲望在改造你，催眠你。再有定力，再坚强的你，在博彩的贪婪心态下，都难免于幸，做定欲望的奴隶。

赌徒心态到底是什么？就是以为凭主观意愿甚至误以为是冷静的智慧，可以改变命运。但局一开始就是骗局，骗取你矛盾的理性盲点。

又譬如色欲。

没机会看到诱惑的话你可能会平静一点，一旦能方便地接触色情影像或挑逗时，你的心再定，道行再高，也会一下子崩溃，满脑子充塞着裸体和性挑逗的表情，教你不顾一切忘形地追求，难掩兽性本能。

再有学养，自觉男女平等，尊重两性的人，都会在欲望蠢动的一刻，视对方为性工具，性器官就是真理，变成床上原形毕露的伪君子。

不要退到禁欲的想法上，不，所有要禁的都不会是治本的方案。

你只能观照自己，看到自己的弱点或限制，然后寻找定心和培养定力的方法。

能修炼到哪个境界，没有道德标准，要用自己的一生去体验和承担。

情欲面前，

两性是没有分别的。

欲望是天性，可以自控，转化能量，在乎觉知。

爱中有情欲，不用否定或纵容，上天给你的都有价，在乎你如何运用安置它。

别费劲否定欲望，它无可无不可，问题在你自己的内心。

我们愿意去接近一个人，和对方发生亲密关系，是付出和接受，尊重和分享的关系，不只是色情或欲望。

情欲面前，两性是没有分别的。

纵欲能干扰爱的能量和观照能力。你将无法付出，无力去爱，却须依赖别人对你的包容和迁就。

纵欲令你变成爱的强盗、无赖或乞丐，失去尊严。你还要自大，自辩，自我保护的话，将令爱你的人更难受，你也走到能量便秘的绝路。

假若你所追求的东西本身没有内涵，只是轻浮的肉欲满足，它不会令你的心定下来，所以即使得到了很多，还是会感到缺失，不足够，焦虑难受。

没有一个纵欲的人能得到真心的满足和快乐。

欲望可以抒发，并不等于应爆发。

纵欲容易沉溺成瘾，助长和迷失自我。

纵欲令你不断耗损能量，需要吮吸别人的能量，你将忘形索求，难以付出。爱你的人即使留守在你身边什么也不做，情感上已感到很疲累，要忍受无法满足你，没什么可做的孤苦。你将无可避免伤害或剥削为你付出或爱你的人。因为纵欲，因为懦弱，你已失去灵魂。

不要先否定欲望，乱盖上道德的罪名。

爱情里没有纯洁无瑕的圣人，

因为我们都不过是满身欲望和限制的平凡人。

诱惑是很难自控的欲望，跟性的本身无关。

若不能理性地平衡关系，性欲便容易变得活跃。这是一个警
号：是时候开发潜藏的能量，释放长久的内在压抑，抓紧一个
稳定的自己。

裸体可以撩起性欲，但不应是最后的诱惑。

对身体有欲望是男女的本性，男人发泄出来，是男性文化，也
是自然生理反应，并不是罪。

如何在欲望发泄过后醒来时面对对方的眼睛，善待自己和对方
的心灵和身体，才是彼此真正面对关系的关头。

欲望的能量若是浅薄，满足后会感到失落。问题的关键，在于
你是否能找到深刻的满足。

当你得到一个人的爱或性后，感觉很快淡化，容易厌闷，嫌
弃对方，那是很可悲和肤浅的欲望行为。你已物化了对方，

也物化了爱和性，忘记尊重。你的爱和性变得苍白浅薄，失去能量。

性爱在彼此享受和付出的情况下奉献才有价值，单方面的私欲只会造就另一方的身心伤害。

好好面对性欲的启示，照顾自己的性心理，静下来，重新整合和接受自己，和潜意识正面沟通，便不会迷乱。

上床是容易的，落床却可以很难受。

性而后悔还要继续性下去，便是到了有必要寻求治疗的处境。

网上淫乐，色情电话跟禁欲主义一脉相承，借来逃避有血有肉有温度的人，变成不懂得如何好好抓紧另一个身体的性虚弱。这就是科技时代让人愈来愈性无能的悲哀。

不要小看性欲念对我们的暗示。

上床是容易的，

落床却可以很难受。

肉体上的性刺激容易撩起也容易凋谢，容易上瘾却难于满足。

迷失在肉体的性只能"淫"浮于事，高潮一样飘渺难留。

若从众多性伴侣身上找到的不是对方的特质，而是属于旧爱的遗痕，那么每次的亲密接触，跟涂香水差不多。香水终归是香水，香气很快会消褪，剩下的依恋只不过是对香气的记忆罢了！

单向地只为送上身体，或者只为利用身体达到性满足的话，不论施者还是受者，事后只会更加空虚。

人一旦相信了某种外在的力量，会死心不息，像迷信像赌博像偷窥一样，欲望只会愈加澎湃，愈加丧毁理性。

能量下跌，感觉也会淡化，欲望的形成也是因为能量减低，导致感情失控和欲望放纵。

是执著和占有欲破坏了原来很纯粹很美好的爱情关系。

爱情让我们借着面对欲望和利益冲突，彰显自己的真面目，看清楚自己。

爱情里没有纯洁无瑕的圣人，因为我们都不过是满身欲望和限制的平凡人。

真爱是超越个人欲望的，当你爱到不只为满足自己，当你爱到不只为你自己一个人而活，当你不再执著一个人活或两个人活的异同时，这份爱是神圣的，是真挚的爱。

要觉知所谓爱其实是为满足自己某些缺失，某种不足，便明白所谓爱情不过是欲望。

我们没有否定欲望的必要，正面运用欲望的能量，你会变得更积极和富创造力。其相反可以很毁灭性，这点你是知道的。

欲望是天性，可以自控，
转化能量，在乎觉知。

没有欲望的人跟死鱼没分别，但纵欲的人却跟野兽没分别。可是，人应该可以比死鱼和野兽更高级。

你需要的不是去除欲望，而是找一个平乱的定点，觉知它，接受它，转化它，不留判断，你将不再被干扰，反而能有效将欲望循环转化为滋润生命的能量，孕育爱的有机动能。

错爱

为别人虚耗自己

　　她是个生活凌乱的人，自我管理十分差劲，却会费精力照顾爱人和朋友，替他们解决问题，改善财务。反观自己，作息混乱，对钱没概念，关心别人忽略自己，把自己的身体、精神和生活都搞垮了。看上去是个乱七八糟的人，怎有能力帮助别人，改善别人的生活呢？实在是天大的笑话。

　　原来很多人尤其是女人，都喜欢照顾别人，忘记整理自己。这是过分母性的后遗症，是先天也是后天对付出过敏和过分热衷的结果。

　　付出是美德，可惜太容易被滥用，变成错配能量，浪费精力，虚耗自己的借口。

为别人虚耗自己到底有何吸引力？

原来挂上"为别人"的名牌，便可以更放肆地放纵，为潜意识里不想处理、正视、整理自己的问题找上佳的借口。

为别人给自己和别人制造无私、舍己的良好道德印象，为别人着想，做好人，奉献自己，看上去多伟大，原来，我们利用了伟大的道德，掩饰不想、无法、不懂管理自己的低能。

世上没有完美的人，一个好人需要拥有基本的条件，就是先懂得管理好自己的日常作息，拥有强壮健康的正能量，先搞定自己，才能向别人分享爱，分享心灵和物质财富。

为别人，帮助人，奉献自己是很大的诱惑，藉此感到自己被需要，有价值，替人生找意义。这是误会。

管好自己的生命，永远比整理别人的生命更有意义，建树更大。

爱，要量力而为。

我们天生需要爱，却未必晓得如何爱，应爱谁。

大部分人都未有能力去爱，只想找个能让自己制造去爱和被爱感觉的对象而已，根本不懂得处理爱这回事，最终难怪剩下伤害和怨恨。

大部分的爱都是脆弱的，不是因为爱得太深，反而是相反，或者太贪心。

在爱面前，所有承诺、誓言、甜言蜜语都嫌太虚弱。

感情用事很容易，坚定地爱却很难。

关系是假的，爱是真的。

人愈需要情感的慰藉，愈怕被情感欺骗。

对爱缺乏自信的人，很难相信别人，疑心亦分外大，关系也因而画上句号。

酒后兴起的感情是真的，清醒落寞的感情也是真的。互相依偎的工作关系是真的，彼此无芥蒂交换思想感受也是真的。但，这些并非必然是理想恋爱的种子。

假如爱只是从自我中心出发，那很多时候都只是一种假象，一种由自己虚构出来的感觉，和诸多要求的关系。我们都喜欢做爱情的建筑师，却忘记了住客的感受和真正需要。

很多人错过了爱，不是因为爱不在了，而是不知道如何抓住它而已。

我们容易借爱人的存在，养活一个不想失去的爱的信念，藉此以为可以拥有永恒的爱，缔造生命的永恒。

人需要恋爱，大抵为满足三种欲望或需要：一是有需要付出爱，跟别人分享，二是自我了解和修行，三是逃避长大，借别人承担自己的生命。

感情用事很容易，
坚定地爱却很难。

爱，要量力而为。有心无力的爱，只是绝路。

爱要讲心，讲心却要讲力度，有心无力也只是空谈。

大部分人都害怕面对自己，希望借爱的假象来逃避。其实你爱谁，正好反映你的所需和缺失。

别做感情的乞丐，求知的奴隶，认知别人的经验不能成为你自己的体验。从已知的出发，出走，继续寻找，开发自己。

要求、失望、埋怨，可惜都把爱闷死。

不靠承诺还可相爱的，爱才真正出现过。

爱是漫长的路，前后左右有很多方向，容易停步或迷路，步不进则退。

原来单有爱是不够的，爱侣要面对和接受挑战的，更多是如何去理解对方的需要和感受。假如双方对爱的信念不够强壮的话，已足够毁坏爱。

需要选择的爱是假爱，你希望拣选的只是关系不是爱。有选择便有取舍，有取舍便有遗憾，有遗憾便有要求补足的欲望。

我们急于寻找另一半，只是因为太害怕孤独一个人。

当爱深得无法承担，触动了存在最深的能量，这是最好也是最坏的时刻，进一步便瞥见真爱，退一步便杀死爱。

不要借身体进行思想道德祭祀审查，它才是感情最大的凶手。

爱到错乱，就是害。

从旧爱中成长过来，好好保留值得留恋的记忆，也是爱情给人生的礼物。

爱情最恐怖的，便是将爱的能量转化为恨。

爱到错乱，就是害。

你所想骗了你的心。

能恋爱是一场福气一场孽。我们相爱，但未必有能力承担爱的全部重量。

不舍得又不修补是感情的脆弱。

所有的错都是对方的，所有的不幸都是自己的。瞧，你不只捣坏关系，也捣坏了自己。

爱情是神圣的，贪恋却是心魔。

爱人的离去是要我们独立去爱，爱得更扎实，不靠依恋，而不是继续迷失，活在死亡阴影里。

失恋的人哭个断肠，以为是为了那个伤害自己的人流泪，却不知道，原来潜意识和自己沟通，想教自己如何修补伤痕，透过最容易打动自己的情绪表现提醒自己，和自己通话。

爱并不容易，爱的感觉也不可靠，那是传媒文化渲染出来的假象。

只有愿意自爱的人，才知道自己到底有没有错爱，是否活在爱之中。其他的，只是在爱的概念上兜圈转而已。

检查是否错爱的方法是检阅自己的能量，和你身边的人或你所爱的人的能量，是否从容和平静。

问有没有错爱，首先要问自己有没有爱到失去重心，迷失自己，能量乱置，有心无力，虚弱地慈悲。

分手伤身，心力交瘁，应懂得调理和修补，别再费神跟旧爱延续关系，也别马上寻找爱的替身乱搞新关系，流失更多心力。

失恋时变成自己以往最鄙视的人，做以往最不屑的事情，不是因为自己本来便是这样丑陋，只是因为一时失掉爱的力量，没法平衡自己，助长了分裂的自我中最不稳定，最希望越轨发泄的一面。

恋爱双方都有责任保持情绪稳定，别把负面情绪当做定情信物，最终害死爱。

爱情失败的原因，不是因为爱得不够，可能是爱过了火，一相情愿，却没有察觉对方的真正所需，白花了心机。

占有、回报、要求、不甘、报复、诅咒、甚至勉强，都是最痛苦的恋爱方式，最终受到伤害的，不只别人，也是自己。

爱要量力而为，适得其所，不然便是滥发感情，慈母多败儿，好心做坏事。

爱最怕一相情愿，自作多情。

贪得无厌不可能带来美满的爱情。能找到最完美的情人吗？别傻了，不如先了解自己的限制，别浪漫化感情关系。

轰轰烈烈的爱，并不一定需要以震撼的毁灭或激烈的暴力来体现。

你所想骗了你的心。

别以为借放肆任性的行为可发泄和操控爱情，其实只是彻头彻尾不信任自己，不信任爱而已。

人是充满变量的动物，你却幻想有个永恒不变的匹配对象，缝合你失落的另一半自己。这是思维上的谬误。

爱是当大家相处很久，懂得互相体谅和付出后，才会孕育出来的果实，在此以前的都谈不上是爱，那只是感情上、性别上、肉体上的欲念磨合过程而已，甚至可以说是由自我中心演变而成的产品，借另一个人满足自己被接受、认同和奉承的感觉。

死守的爱最快消逝，瞒骗的爱不君子也嫌丑陋，占有的爱最暴力可耻，害怕失去的爱不可能有安全感。来来去去，还是爱得不够清廉自在，烦恼自寻。

伤痛

创伤过后

生命可以很脆弱，在无常的轨迹上，再尊贵、再邪恶的生命都是一样的。

可在爱的前题下，生命的平等性值得尊敬。

平等心让人变得谦虚、可敬。

恻忍之心让人散发慈悲，让人心发亮，虽然同样的一颗心，可以顷刻分裂，变面无情。

爱是人性最后的救赎。向不认识的灾民洒泪和奉献是可敬的，但别流于短暂的集体情感发泄，做了好过一点，不做会说不过去。

更可敬的，是懂得对自己和近在身边的人慈悲，爱。

借别人的灾难，我们有幸感受同情共感，人性向善的激情体验。

我们都不想白白离世，不希望灾难再临。很好，那我们要好好记住，希望灾难不再，首先不要自制灾难，尊重眼前人。

　　自然无情，但这不是它的错。爱和结束是自然的轨迹，学习接受和达命，好好珍惜活着和共处的每刻，让生死定律变得尊贵。

　　自然生灭给我们的不是伤害，而是更坚强的力量。

　　别害怕，能活着已是爱。

　　创伤过后需要自疗。带着沉重的心外出，需要一棵树的拥抱。

　　公园里漫天浮游的木棉花，我看到一个个亡魂飘向天国的美丽和安详。俯首拾起奔走的小棉球，小小的种子，温柔地告诉我请给我发芽的机会。

　　再大的毁灭，也不减自然万物对生存的无邪渴求。身旁的小女孩在高兴地叫"看，下雪了"，声音穿透时空国界。

　　单纯令生命无条件美丽，爱超越生死。

从来没有命定的不幸，
只有死不放手的执著。

从来没有命定的不幸，只有死不放手的执著。

痛苦从来活在脑袋里。我们惯性张扬不幸，怕承认已有多幸福。

大部分的痛苦，都是不肯离场的结果。

痛苦的感觉是真的，理由却是假的。

痛是好的，提醒自己距离爱和自由还有多远。

人的痛苦，大部分时间不是被新痛刺伤，而是翻阅旧记忆的惯性。

我们安心穿上受害者的衣裳，便永远看不到爱的赤裸。

人最大的痛苦是放不下过去，不论是快乐或痛苦，爱或恨。

人的痛苦，大半是沉溺于过去，不舍得放手，无法重新开始，输不起，失去孩童跌倒爬起来的勇气。所以孩子会长大，成人只能老去。

女人是天生的编剧，在爱中受尽委屈和伤痛才算曾经付出过，轰轰烈烈地爱过，这是流行情歌、悲情小说和电影的毒害，女人却潜意识里复制一式一样的剧情，不理好丑，自招伤口。

你内在的慈悲有足够的能量包容痛苦，请信任身体能修补和转化能量的神圣本能。打开心胸和伤痛结合，你才不再执著痛，痛便会消失。

痛苦是真的，恐惧是真的，危机是真的，欲望是真的，无助是真的，不被理解是真的，他令你受苦是真的，你自作自受是真的……但这一切的理由却是假的。

受害者最大的伤口不是被伤害，而是不肯放下受害者角色，宁愿浸淫在痛苦和自怜的心理惰性中，被负面思想侵占理智和心胸。

我们表面追求甜蜜的爱，潜意识却错认爱情应该很痛苦，追求戏剧性的激情。可我告诉你，你若经历过深刻的爱，你会明白戏只是戏，宁愿爱在平实中，静静地呼吸。

是我们爱得太浮浅，才妄求翻高浪，自制爱情灾劫，正因为你跟爱分裂了，要靠灾难重逢爱。

人最大的心结，是只看到别人的错，认同自己是受害者，不幸的可怜人，却看不透，受害者往往是自害的，借别人的存在加害自己，胡思乱想，活坏关系，不知所谓。

面对感情错失的困局时，我们往往只把问题想到最差劲，令事情变得复杂，令自己变成最不幸的受害者，制造自己是世上最不幸的人的现实，然后把怨恨归于对方，这是自怜的陷阱，却不是解决问题的方法。

愈是伤害自己的，愈能偷走自己的心，令自己堕落，变成受害者。这是女人在感情上难以承担却死命投下去的孽海。

大部分人的困惑和痛苦都是没有觉知，看不清自己，摸不透别人，以致迷乱不安。

迷恋过往的伤口是心瘾，也是惯性的病态，不要认同受伤的那个旧自己，你每天都应该更新心情、想法，让身心灵新陈代谢。

别借伤害自己的人事折磨自己，制造创伤记忆，认定自己是受命运诅咒的人，永远被遗弃，最后也遗弃自己，自我放弃。

回忆是个大笼牢，锁住自由，把思想推至死胡同。

记忆最怕压抑，最需要被释放。

爱是多么狡猾，当下难看清楚。过去了，变成回忆时候，又忽然变得很清楚，起码清楚地患得患失，或者清晰地糊涂。还执著逝去的，虚弱的关系，不敢记起，未能忘记，未语泪先下。回忆总是太沉重。

大部分的痛苦，

都是不肯离场的结果。

处理负面记忆，不在忘记或抗拒，而在正面地接受。让它来去自由，不作干预，观照它，让它自动消失。

我们中了活在过去的毒，潜意识里欢迎痛苦，讽刺地往往是因为当下活得很幸福，焦虑一切只是假象。好个恐惧幸福的痛症。

人为何特别喜欢伤口，老是执著旧伤痛呢？原来人都害怕孤独，经常希望证实自己的存在价值，吸引别人的关注，觉得平平淡淡地活着不算有生命意义，期望发生特别难忘的印记，让平凡的自己看来独特一点，添一点重量。

因为伤口有疤痕，能时刻让你看见，提醒你曾经沧海，饱历风霜，替人生刻上深度。于是，你舍不得治愈伤口。

感情创伤方便你去制造一个非凡的身份认同，就是那种"我经历过你未经历过的痛，所以你不明白我"。表面上，我们都希望别人了解自己，可是潜意识里其实大部分人都不希望太被了解，被看穿后便没戏了。

我们花很长很长的时间助长一个超级自我，不自觉地紧握最细微最细微的执著。

痛苦不可怕，那只是一种情绪反应而已，可怕的是死执过去的痛苦长不大，被掏空信念后无路可走的情感绝境和伤残。

没有天生苦命的桃花劫，性格决定命运倒是七分真，剩下三分留给执著。

一切痛苦都是自我中心、自我执著的结果。

你希望全世界迁就你，否则就是所有人的错，却不曾考虑自己是否也有问题。最后双方都活在痛苦中，你不是你，他不是他。

人太软弱了，无法管好自己内在的分裂，自伤伤人。

人孤单和痛苦，是因为受伤害或被否定时无奈地发现自己的脆弱，无法借改变别人令自己释怀。

痛是好的，

提醒自己距离爱和自由还有多远。

成长是充满伤害的过程，固然有太多负面的外在因素，但归根究底，我们原来太脆弱，经不起风浪，失去抵御伤害的免疫力。

当你不知道自己的心想怎样，或者对别人有诸多要求时，这正是你精力或能量下调，或者是思想上、心态上的欠缺，觉得需要补充能量的时候。在你不自知而要求别人时，便会产生不切实际的幻想，期待人家给你一个你希望看到的反应，慰藉自己。可是，当别人满足不了你，缺失没有得到修补时，痛苦便会出现。

人因为软弱，借助过去否定现在不如意的际遇，最容易不过，但这也是助长懦弱的借口。

痛苦从来是自作孽，看不透生命的下一步，愈来愈欠缺自信，太介意失败，太在意成功，落得倒数年华，怨走青春。

我们其实借别人的存在，保存自恋的秘密。

所有的情缘都是赚回来的，即使是最创伤的经历，也有正面的讯息。

经历过伤痛，往往令人更懂得体会真爱的伟大，更懂得爱人爱己。

经历过不幸，更懂得珍惜幸福和爱；被伤害过后，才知温柔和慈悲的美丽。

人在经历极度沉痛的体验后，最可能走两条路：一是彻底的自我毁灭，二是立然见空，在极度的恨中瞥见爱。

遇过最伤的痛，对爱会更敏感。

当最痛的感觉也经历过了，蓦然发现，什么也不再需要害怕。

从失恋中成长，让人生变得更好，不然便是退步，浪费生命，在苦痛中迷失和沉沦。

透过相处我们知道痛苦，感受喜乐，看到执著，自我成长，明白人生，这时爱才真正出现。

能够为爱，为失去爱而难过伤心并不坏，甚至很幸福，因为曾经动过心。感动过，相爱过，已是人生成就。

为失恋难过是人之常情，没有否定的必要，甚至应该庆幸，表示你还是有情人，还可继续去爱，修炼自己。为失恋而痛苦是执著，表示你没有真正爱过，只有欲念，为得不到而受不了，自讨苦吃，难感受爱的神圣和正面能量。难过还是比痛苦好。

有些受过沉痛伤害的人，到头来反而更热爱生命，更懂得爱情，更积极热衷帮助同病的人。

人最惨不是贫穷或痛苦，而是绝望。

要避免重复伤痛经历，别再次加深潜意识确认悲伤的惯性，对自己不利。待真正静下来，看透问题，重温历史才有正面意义。

我们安心穿上受害者的衣裳，

便永远看不到爱的赤裸。

能将爱温柔地注入内心的甘泉，你将不再嗜痛，迷恋向外寻找所谓爱的假见证。

激烈的爱情关系不能长久，容易对自己和别人制造创伤。

死命执著两个人，最终苦了一个人。

不痛不快，原是你选择的快感。

感情用事比爱更吸引，自讨苦吃比爱更坚定。

我们都瞧不起懦夫，偏偏陷入情绪低谷时，我们变成彻头彻尾的懦夫，失去尊严。

自由

放飞 vs 逃跑

我们都喜欢在新年，给自己一个新的机会，放下过去，活好现在，准备将来。

新年是检讨和许愿的节日，让营营役役了三百多天的自己，重整生活，好好收拾一下活得有点零乱的生活。

有人活得太乱，想放飞自己，不想再被任何人事困住，暗想不如放下，离开现场。

可问题斩不断，理还乱，加上能力不够，毅力更不够，人懒惰，怕麻烦，承担不了种下的果，心乱不安，被需要被要求善后，只想逃。

这样的人，年年复年年，不断重复着问题，不断逃跑。

逃跑并不是放飞。

逃跑是慌忙的放逐，越逃越心慌。

放飞是轻松的旅行，越走越自在。

要真正自由地放飞，先检视一下放飞的装备，先清理自己遗留的东西。

假如你为了逃避，选择"放鸽子"，一走了之，不顾后果，把烂摊子留给别人替你受罪的话，你不是放飞，而是任性，自私，不负责任。

当然，你就是因为不想负责任，或者没能力，没气力负责任，不想面对所以逃。

逃跑留给你更大的责任和后遗症，你将难以放下心理包袱，离开不过是逃狱，你不过是逃犯，还有未服完的役，迟早需要回来承担。

即使你把心一横不再理会，内心还是无法释怀，潜藏的内疚、不安和自欺会转化成负能量，长远变成心理阴影，制造负面人格，影响往后面对其他人事的心态和力量。

先面对，才能真正豁出去，活在自由里。

世上没有不能失去的，
除了内心的自由。

世上没有不能失去的，除了内心的自由。

最大的体贴，是留有余地和虚位，让对方透气和换气，才有新力量和感觉去爱。

放松一点，和爱人保持距离，留一点变幻的可能性，才有惊喜和期待。

爱最令人窒息的地方，便是以关心之名扼杀对方的自由。

自由要问心，对自己诚实。

给自己一条生路，能豁出去，海阔天空。

每个人都有隐私，每个人也有与生俱来的私欲，可以分享和满足是缘分，不可以也不能强求。

当你能无须害怕和隐瞒什么，保持觉知，接受一切的发生，你便自由了。这时才真正体会深层次的爱。在此以前，所谓的爱

切实体验过爱,

你便明白什么是自由。

只能算是还未成形，尚在测试中。

爱与不爱，不是由理性和道德决定的。聆听自己的感觉，忠于
自己，向不同的性别开放，爱才得以张开翅膀，自由翱翔。

切实体验过爱，你便明白什么是自由。

爱和以为知道什么是爱是不同的，前者是自由，后者是死执。

真正的爱，是爱到维护彼此的自由和尊严的成熟表现，是君子
之间的感情交流。

自在，自由，就是爱。

最大的道德是爱。

爱的道德从来活在你的念头里。

真正的爱不会离去，
不离去的便不怕失去。

没有人有权道德判断你的选择，你只须向自己的感受交代和负责任便足够。选择怨恨，死执不放手，才是男女关系最大的业障。

我们没有资格判断伴侣的道德，或要求伴侣按照自己的意愿改变，先转化自己的心胸更重要。贪欲有害，却不是错，否定和怨怼才是情变关系自招的祸根。

最大的幸福，是活得自在、自由和喜乐，保持清醒和觉知，心安理得。

爱应该变得宽大。最后的爱，是没有彼此，没有分开，没有你我的圆融。

真正的爱不会离去，不离去的便不怕失去，也无须维系。

爱，是不需要通行证的。

人就是人，从来不是自由的动物，以为透过选择便能得到较大的自由，可过程并不一定快乐。

爱上把爱人纳入自己的生活里所享受的充实感，并非真正爱上对方，关心对方的生命。

爱永远只能被靠近（approach），不能被固定下来，我们只能用接近内心的情感状态形容爱。因为爱是永远开放的，也因此永远最包容，最珍贵，最灵活，不至被贫乏的语言固定甚至扼杀死。因为这开放的特性，爱让我们成长，超前，看到生命的奇迹。

最舒服的爱是自在，不期待别人，不等待自己。

不能带走最大的爱，也不要制造最大的恨。

爱并不需要等待另一半，爱就在这一刻，每一个愿意活好的当下。

不能带走最大的爱，

也不要制造最大的恨。

爱恋关系本来应该很美，只要两个人懂得孤独地依存，紧靠得自由，爱而不占有，保持亲密的距离。

尊重个人活动和思想空间，保持一定自由度，管你是夫妇还是誓不结婚的伴侣，才是最幸福的两性关系。

要求进入别人的国度，可以是一种暴力。为所爱保留空间，便是为关系留有余地。

人最不智的是总要知道很多，要介入人家的生命。最亲密的伴侣也需要自己的空间，独自承担和处理自己的问题。

贪恋宠物的人，或多或少需要透过操控另一个生命来展露爱心，却不舍得放生，让生命回归自由的道理。

自由，是舍得把执著吹走。

自爱

让自己变成一棵树

她自命一生平凡，没经历过大成大败，可她很讨厌自己，讨厌看到照片中的自己。

"我该如何去爱，接受自己呢？我相信自疗是唯一的方法，曾修读灵修和催眠治疗等课程，但和自己的潜意识始终联系不上，甚至连自己的内在小孩也未碰上过。

读过修炼当下力量的书，了解到需要观照当下的自己，可是日复一日的练习，仿佛只让我看到一个完全不认识的自己，有点迷失。可以教我一些了解自己的练习吗？"

了解自己，似乎是每个人都很渴求的方向。

能了解是好的，但了解并不是目的，那只是接受自己的手段。

　　人是内在分裂的，没有一个完整的自己，所以我们经常处于矛盾状态，不清楚自己到底需要什么，怎样才能满足自己多变飘忽的欲望。

　　往脑里认知和了解，确定一个自己，对生命的提升，是否能成长，安心达命不能起关键性的帮助。通过观照探索自己很好，但也别忘了流动。

　　观照是令能量集中的练习，那是阳性的修炼方式。男性世界充斥着练习，女性有更适合自己的修炼方向，那是打开自己的爱，释放她的流动性。

　　别老是坐着空想和求静，起步，走出来，从感受世界，靠近大自然开始投放自己，回归孕育生命的原始动力。

　　让爱在心里扎根，开枝散叶，你将变成一棵树，回归大地之母原始的爱，绕过了解，回归自己，获得平静与喜乐。

爱是优化生命的入口。

爱是优化生命的入口。

每个人也可以走出来。

你有真诚地活过，爱过自己吗？

别跟自己过不去。

寻求他爱是借口，自爱才是出口。

自己是爱最长久的对象，没有爱比自爱更迟死。

不懂自爱的人，自会害怕何时失去爱。

自爱是爱到放下自我的境界，对自己不离不弃。

每个人也有重生的能力，没有必然的受害者，也没有必然的伤害，只要你有自愈的勇气和决志。

自爱是生命最基本的原动力，像吃饭呼吸一样自然和重要，偏偏我们却失去自爱的本能，经常自虐危害自己。

不爱自己，将不知道什么是爱，即使爱已站在你面前。可笑是我们经常是这样把爱赶走的，然后埋怨爱没出现过。

爱的条件是先培养强壮的自爱能量，觉知和欲望管理的能力。

当你还未真正爱过自己，感受过自由的流动爱恋状态时，所谓真正深爱，可能只是欲望的陷阱，无力自控的病态。

爱是个人的修行，由自爱开始。

最终能一生一世的，永远是自爱，没有比这更坚定不移、天长地久的爱情。

自爱，是人生最终极的追求和意义。

得到天下最多的关系，也不能换取一份不离不弃的自爱。

自爱的目的是自由，方法要花一生去寻找。

自爱的关键在信念和付出，而不是技巧，际遇，性格或什么。

人为爱某个人而痛苦，但不爱某个人，我们又不懂得爱，原来我们失去了自爱的本能，所以才需要恋爱，这是爱情最反讽的陷阱。

人最大的心病不是被否定或离弃，而是自我否定，从没接受过自己，需要找别人去爱自己。

心是主宰情绪的总部，打开心胸是自爱的第一步。

活得不称意，需要能量补给时，找个情人依偎很好，依赖自己更好。

你才是自己的主人，
别否定自己。

依赖要付出代价，以尊严付账。

你是自己的主人，无须乞求爱。

与其百分百依赖男人给安全感和爱，不如从自爱开始强化心安感觉的层次，追求更高价值的爱。

先爱自己，令自己变得美丽可人，站在镜前深感自己值得被爱，你将不怕失去什么。

我们的不完整不是因为失落了另一半，而是自我分裂不懂自爱的结果。

有信念的人才有希望，有希望的人才能自爱和他爱。

学习自爱的第一步，便是懂得在适当时候过滤负面思想，巩固正面想法。

爱很难，爱自己更难，因为只能怪自己，不再有推御责任的借口。

自爱不容易，因为人有惰性。

你才是自己的主人，别否定自己。

从来没有容易的自爱过程，不是因为爱的本身很艰难，而是我们惯性用脑袋去爱，所以，我们应付的不是爱，而是脑袋。

最卑微的人也有活着的价值，没有人能真正认识你，了解你，你被否定跟你的内在价值无关，你无须认同别人，帮凶否定自己。

先跟自己建立良好关系，先相信自己，相信自己内在有个神圣的空间，相信自己有能力自我改善，感激身体对自己不离不弃，默默为你付出，散发内在的慈悲。

很少人能真正自爱，因为无法放下自我的执著，又容不下别人，无法做到豁达从容。

有什么力量，能把迷执的女人拉出困局呢？答案是自爱。

每个人都曾经受过伤害，但活在过去的人会执著伤痛，勇敢自爱的人会向前走，为自己疗伤，所以他们会健康快乐起来。

学习抓紧活在当下的幸福，转化过去的负面能量为生之动力，强壮身体，一步一步迈向自爱的路。

人若忘记悲伤，放过伤害自己的人，是最好的自我释放，这是自爱和懂得他爱的表现。

从分手中成长。

爱的能源不靠过去，而靠勇气，必须愿意从伤害中成长，重建爱的信念，借自爱发掘力量。这是漫长而孤独的路，必须勇敢踏进去，生命才正式开始。

真心想改善自己的话，首先是狠心离开伤害自己的一切源头，包括不爱自己的人，和不爱自己的心态。

自爱的人散发爱，自恋的人封闭爱，自私的人要求爱。

能做到不自私，觉知到自恋已经很不错，再修下去才是真正的自爱。

自私是取受，自爱是付出。

自私是负面地感染自己和别人，自爱是正面地感染自己和别人。

自私的基础是剥削，自爱的基础是保护。

你以为自己很自爱，其实可以很自私。

当人家不明白你怨你太自私时，可能你很自爱，自私的是对方。

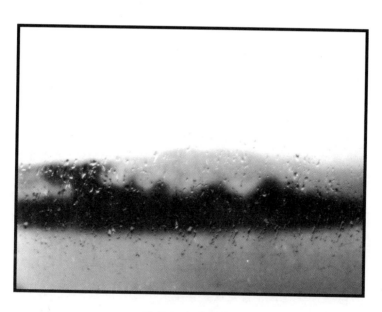

别跟自己过不去。

当你为了纯粹满足自己的欲望时，你的爱是小气，也会影响别人；但当你为追求自爱时，散发的爱是正气。

原来自爱也需要决绝和狠心，就是因为人太懦弱，宁愿花很多能量每天问为何那么苦，也不愿意挺身行动救自己。

爱是行动，马上行动，好好和自己恋爱一场，你将发现，原来你并不孤单，自爱的人自然会走在一起，相亲相爱，照亮世界。

离婚不一定是答案，但结束伪装的亲密关系，却是自爱和重生的开始。

自爱不是想法，而是最具体踏实不过的作息活动。遇上不幸和苦痛，你得先放下一切，狠心地将未解决的所有问题搁在一旁，先不问理由强壮身体，这样才算真正有诚意和决心自爱。

最有效的自爱活动都是免费的，别给自己逃避的借口。从最基本入手：平静呼吸、保养心脏、微笑、行善。

失恋者要做的，不是从记忆库中寻找修补自己的力量，不靠回复以往，而是重新建立快乐体验。这体验得靠自己马上建造，而非坐着发愁，缅怀过去可以得来。

不够自爱力量的人容易气馁，要求别人迁就自己，抛弃他的路，走上你的路。你连自己的章理也乱了，怎能要求别人跟你乱走呢？

先走好自己的步伐，才有余地看到同步者的足迹。

了解自己的性需要是自爱的表现，也是做人的责任。

学习说不，学习解脱说再见，学习狠心不回头。

每天对着镜子向自己温柔地微笑一下，给自己一点正面的鼓励，爱的天空自会打开。

喜欢问伴侣是否爱自己，其实只是反照你不知道自己是否爱自己。

寻求他爱是借口，

自爱才是出口。

成长的意义是增长爱的智慧和自信，对生命负上爱的责任，不能被爱也要自爱，不记来时路。

快乐，捡起来就是了，随时随地。

若爱够坚定够强壮的话，错过了也会回头，不回头也无憾，你已赚回自爱、信念和定力。

你永远不会没有人爱你，因为世上最爱你的人原是你的身体，无论你多番离弃他伤害他，他也没有微言继续支持你，养活你；也不会没有你爱的人，因为爱的最基本便是先爱你自己。

让自己爱上自己，会心微笑，让心回归你，变成你生命的神圣空间和宝藏，你将感到心灵的富足，不再害怕失去什么，不再害怕被遗弃，心自然能安定下来。

自疗

尊重安静

我的静心讲座上，有读者在集体静心"观"音环节后，说心里突然出现美丽的草地和幼苗，感觉很美很安详。

也有读者分享她害怕静下来的感觉，说每逢静下来便会感到害怕，无比寂寞，于是需要不断说话，逃避安静。

原来，我们不一定希望靠近静，因为静让我们感到面对自己的孤独，感到寂寞害怕，宁愿让自己不断思想，说话，也不想静下来面对自己。

这样过活，很不好受，因为我们无法对自己真诚，无法接受自己，活在恐惧和焦虑中。

安静的重要，是让我们活得真实，定心，有力量，不容易受伤，不容易害怕，不容易喊累。

安静让我们养精蓄锐，看得更清楚，更长远，心眼更明澄，强壮和美丽。

但如何才能静下来呢？这是很大的学问和修养。

世上有很多方法教我们安静，哪个收效便可用，只要保持开放不迷执，便可从中受益。

有一点值得关注的，就是任何静心的尝试，首要条件除了是愿意静心外，更重要是有尊重安静的心。

尊重是最基础的修养。

带着尊重的心对待静，静便会出现。

带着尊重的心对待爱，爱便会出现。

带着尊重的心对待任何人和事，你自会感到安详，也会取得力量，不容易受惊害怕。

尊重本身就是一份无微的安静，懂得尊重是自爱和他爱的开始，你能从尊重的心态获得自我价值和尊严。

自疗，
　是每个成熟的人的天赋责任。

治疗原是自我修行。

寻求治疗是修行的一步，并不止于解决问题。

治疗若只停留在借助他力改变自己或命运的话，最终也不是彻底的，永劫回归够你受几世。

要治疗，必须首先和自己修和，自爱。

最强的治疗，原是靠自己的爱打动自己。

所谓灵性自疗，不是学回来记在脑袋的知识，而是自我修行的方式，是和潜意识的无穷能量一起共处的创造之旅，寻找绕过惯性思维进入悟境的微妙，超越语言枷锁进入心灵之道。

世上只有自己最有资格治好自己，但要花的耐性和爱，决心和坚持，却是我所明白和领会过最伟大最漫长的爱情。

要相信，每个人都有自疗的本能。偶尔走累了，不妨把自己交出，借宇宙包容的力量安慰自己。

诚实看自己的心魔，比期待治疗的奇迹更务实，也是真正决心自疗的唯一诚意。

自疗，是每个成熟的人的天赋责任。

要真正达到自疗效果，离开负面情感记忆的控制，必须先从脑袋返回心开始。

把流往思想的能量和精力，转移至我们的心，让她平静，变得温柔，爱才能实实在在地真正出现。

反观自己的内心，先看自己才张看别人，原是治疗爱的智慧。

我不相信无法自拔的爱情，看透的不过是宁愿自虐和纵欲的苦恋。

先看自己才张看别人，
原是治疗爱的智慧。

不要迷信爱别人比爱自己多，这并不是爱，只是慢性自虐的习惯，也是自我放逐的心瘾。

爱别人比爱自己多不过是漂亮的包装，令自己变成受害者，制造在爱中被剥削的证据。

人最大的烦恼不在际遇，而是你脑袋装载了什么，是否想歪了，执迷不悟，或者宁愿自虐埋怨，拒绝自疗。

感受爱，处理爱，必须从定心开始。

心是平静、和平的源泉。

没有找到定心位，感情和感觉会转淡，轻浮。

要懂得返回内心，返回身体，积集能量。

厌倦了关系，是因为把心流放在外的缘故，不能收心定情。

人是软弱的，所以要觉知，让自己定下来。问题在自己处，不在别人。

希望有扎实稳定和深刻的爱情，保持新鲜感，必须先返回自己的身体，先定心。

找个定位中心，学习修养爱的素质，优化爱的能量，你将达到前所未有的忘我境界，甚至超越爱情本身。

定心的最好方法是返回自己的身体。心在每个人的身体里，不需要刻意寻找和认知。

能看穿爱的流向，能平衡和平静自己的心，才能真正深爱。

说不没有问题，只要不是源于反驳或否定的念头。观照后平静地说不，是不会感到难受和痛苦的，因为那是爱。

豁然接受一切的发生，便不再有冲突和烦恼。

放弃自己的人，
自然被人放弃。

让判断和执著穿过透明的身体，看着它路过，不作抗衡，平静观照。这样的话，没有任何人和事能伤害你，也不需要害怕任何东西了。因为你已醒觉，放弃了自我，心坚定如山。

坏记忆、坏思想，只是执著的别名，那为何我们都宁愿执著呢？是因为我们经常被负面情绪骚扰，无法打开困局走出来，惯性否定它，和它作对，所以坏情绪老是来纠缠。

我们对执著实在太迷恋了，迷恋到爱它比爱其他一切更重要。所以，我们无法好好爱一个人，包括爱我们自己。

别助长自我。看穿自己的软弱和盲点后，谦虚，接受，沉默，定心。替生命找个定心点，从观照身体入手。

我们要提升能量，保持观照和觉知。这是自爱的重点。

放弃自己的人，自然被人放弃。

能量的流动很奇妙，只要我们让它流过，打开门让它进来，像客人一样招呼它，它便会满足，愿意离开。

面对负面情绪，当知"过门也是客"的道理。当坏记忆跑出来时，不要否定它，顺其自然，静静看着它，这时我们便可以抽身不粘心，大方一点招呼它坐坐，倒杯茶，让它休息，它觉得被接受了，自会安然离开。

其实坏情绪只是想找个落脚点而已，接受它，请它走便是了。

让悲伤进来，穿过自己；让悲伤离去，清理自己。

好好招呼过客，原是我们处理所有问题的方式。不用否定，也无须认同便是了，平静自会出现。

在危机、不安、挫折中，要学习爱人的态度：不动，接受，驾驭形势，那么，困扰便不会影响自己，事情比想象中的美好。

要自疗，必须先管理好自己的贪欲，打开心胸体谅别人，学习抽离关系，保留正能量，避免依赖，也别背负别人的生命，才能储备自爱和他爱的条件。

你必须先有信念才能改善自己，自疗活坏的身心，有了信念便有希望。

管好自己的，亲爱身边的，感谢能性能爱，人生已经足够。

世事无完美，只能自足，管理好自己。

成佛成圣只是妄想，自疗的重点不是成佛，把自己变成无欲无求的圣人。

每个人都有过去，但每一天都是新的，没有留守过去的借口。

从内在转化开始，借感恩的力量，珍惜已经拥有的，别执著已失去的。

让悲伤进来，穿过自己；

让悲伤离去，清理自己。

我们没有忘记伤痛的理由，但可转化它，回到爱的观照中，所有的记忆都是安详的历史。

原来思想比行动容易，受伤比疗伤可怜，依赖比自救好过。沉溺吸蚀能量，自救也要能量，可能量有限，你却努力地选择被吸蚀，直至不能自拔为止。

不要等待别人施舍爱。

活得一塌糊涂，爱到天翻地覆，痛到不能自容的人，首先不要从理解去解决问题。没有强壮的身体，不可能自疗伤口。

感谢自己是最温柔和管用的治疗方法。

自疗，先定心。

走山路是最好的自疗，身体和意志的纯粹锻炼，超越时间，没有思想余地，连生死爱欲都遗忘。求生、走下去的意志是唯一的伴侣。这样爱，很好。

生命

死亡的神圣

一位国内的读者约好在香港跟我见面，治疗她近月失恋的崩溃和困扰。

她每天精神恍惚，严重失眠，感到生无可恋。可是见面日期到了，她没有出现，发短信问她，回信却是这个：我是她的表妹，她上周车祸去世了。

不管原因是意外还是蓄意，她还是等不了和自己约定的治疗便让生命结束了。我，很心痛。

死亡是神圣的，没有好好爱过生命，死亡也不可能是终极的解脱。

带着尊严和满足地离开是最神圣的旅程，可是，世上没有很多人能死得有力量，有意义。

认识很多人，有些以死相逼争取所谓爱情，有些自我放弃自虐到失去自己和生命，有些想借死博取同情和安慰，这些都是廉价的手段，也侮辱了爱。

也有些人积极地活，即使无法再拥有生命，也没有失去对爱的信念，他们的生命发热发亮。

否定自己，不愿意自爱的人，不可能感受真正的爱，不可能付出爱。

自爱是真爱的第一步。

能活着已是一份恩赐，因为不管你活成怎样，生命决不会主动放弃你，只是你自己放弃了。

活坏了跟爱无关，跟别人无关，跟命数无关，只是放弃和勇气的取舍而已。

每个人都有选择。

爱惜生命才是真爱，其他的都不过是顾影自怜的病态假像，我们无法从爱的想法和贪念中得到真正的福乐。

好好尊重生死，珍惜早已拥有但被遗忘的幸福。

不要说得不到爱，

能活着已是爱。

不要说得不到爱，能活着已是爱。

每个人都有过去，回忆能让现在的生命微笑，才算没有白活过。

情之上还有更大的爱，那是对生命的信念。

成长是不断更新自己的过程，也是生存的意义。

人生苦短，看你宁愿花时间去修，还是思前想后去执著。

我们必须很坚强和良善，怀着很大的信念，信任爱的力量，才能找到活着的出口。

生命的意义有很多，也可以一无所有，一切，由心决定，你不是跟它做朋友，就是跟它过不去。

路边的野花不需要生命意义，却活得比我们简单自在和美丽，教人心旷神怡。

每个生命都是奇迹，

每段经历都是缘。

生命中，缘分里，每个人的进进出出，总有某些正面的启示。

生命不会无中生有，你从什么地方来，总有它的缘机。

每个生命都是奇迹，每段经历都是缘。

活着，需要激情。

通过觉知自己如何面对死亡，反映我们其实怎样看待生命，准备怎样活这一生。

承担生命不是我们的责任，我们只须享用生命。

生命得来不易，无损无伤耗到你长大成人也不容易。你的责任是感谢它，然后超越、进步，活得比上一代更好，而不是否定自己，否定孕育你成人的家。

我们没有承担前世的必要，但我们有活好今生的责任。

不要崇拜任何人，任何道理，自己的生命要靠自己修行。

生命不只为自己而活，但不能为了别人放弃自己。

有人说，不要忽视身边出现的每个人，他们大可能是你前世的亲人或爱人。这样算来，人生在世又多一重意思。

敢爱的生命，自会开花。

你付出多少，便收回多少感动，生命才真正发亮。

拒绝长大，不愿意承担的人，生命并不会轻松好过一点的，别搞错。

面对生命，人必须放弃问"要多久才见效"的杂音，谦虚走一生。

生命多元多变，没有必走的路，也没有永恒的局。

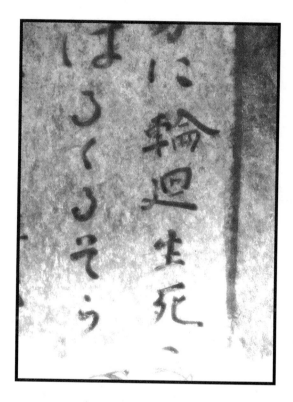

我们没有承担前世的必要，
但有活好今生的责任。

你不是不想改变，只是不敢改变。关于这点，也算是大多数人活着最悲哀的诅咒。

世事不在人的掌握中，不要以为眼前不离身的东西永远不会背弃自己。

世事充满讽刺与矛盾，我们得学习适应和应变，助长信念打倒不幸。

人心每刻都在浮动变化。

变，从来没有时间观念，是我们把时间加上去，制造变的连续性。经历过的都会再回头，尤其是未能忘记的伤痛。

重复是生命中不能承受的沉重，过去是执著的燃料。

当你懂得珍惜生命，当你真正活在当下，过去便只是"过去"两个字。

生命是被很多无名的存在默默支持着，别忘记感恩。

活得好的首要条件，甚至是唯一条件，就是爱。

重振自己，是转化悲伤为生命力量的钥匙。

人是不断自我分裂和自我重生的。

现在活坏不是过去的错。能包容过去的不幸，才有幸福的可能。

别急着要生要死，最坏的未轮到你，最好的要靠自己争取。

人生是个学习筛选所要和不要，更生自己的旅程。你才是自己的主人。

生命和爱的条件是勇敢和承担，也是人必须长大的真意义。

成长的意义，

是从伤害中学习爱。

人生多变，我们无法掌握一切，但有条件学习抓紧的是情缘，心态和爱的素质，这些都是自我修养的范围，其他的，请留给上天。

生命中有些东西不容计算，也无法被等价取替。看得懂这点，才有条件寻求解脱的出路。

成长的意义，是从伤害中学习爱。

恐惧是爱和生命最大的障碍。

人有很多限制，不妨借助大自然强大的能量，重振生命的激情。

只有深刻地爱过和活过的人，才明白所有正负强弱爱恨好丑等对立的道德观念，只不过是片面浮浅的价值判断，你还没有走进真正包容的心。

人与人之间有温度的交换，能互相感染能量。

我们爱上别人，就是看中对方能包容连自己也无法包容的弱点，令自己变成完整的人。爱情的最大意义可能是令生命更完整，令自己更可爱。

爱的重点不在真假对错，你可以不相信爱，不相信任何人，自我放弃，但每刻的呼吸，动情的眼泪，也是真实的情感，有情欲爱恨和追求的你。这就是生命，人的价值就在此。这不是很深的道理，这是你每天照镜的自己。

爱是情感的需要，能量的源泉，希望的光。因为世事不完美，因为人容易脆弱，爱的存在能提升生趣，赋予生命意义。

命运

绝望 VS 信望爱

她说："没有你爱的人和爱你的人，生命怎么不绝望？"

其实人最大的成就是什么呢？

是找恋人，结婚生子，名利双收？

其实不妨简单一点，人只要能做到安心，定心，遇上挫折也不绝望，已是最大的成就。

人生没有命定的不幸，只有早衰的绝望。

信望爱是很重要的，有信念便能绝处逢生，有希望便会继续向前走，有爱便永不放弃，不只为满足私欲而活着。

这是生命的意义，存在的目的。

你永远不会没有人爱你，因为世上最爱你的人就是你的身体，无论你多番离弃他伤害他，他也没有微言继续支持你，养活你。

也不应该没有你爱的人，因为爱的最基本便是先爱你自己。

别怨命，命运没有待薄任何人，只会顺应你的心助你一把。

你悲观它会把你推向更悲观，你坚强它会给你更强的能量。

有信念的人才有希望，有希望的人才能自爱他爱。

不要害怕孤独一个人，不要等待爱。

爱是行动，马上行动好好和自己爱一场，你将发现原来你并不孤独，自爱的人自然会走在一起相亲相爱，照亮世界。

命运是我们阅读的因果。

命运是我们选择的结果。

命运，或多或少是自己制造的。

命是你选择的主观意愿，不是天意安排。

已发生的不能改变，但我们抱着什么心胸去面对，却是可以调控的。

原来人的心态是怎样，便会遇上相配的人，这才是人自制的命运。

命运自有它的轨迹和理由。

命运是我们阅读的因果，关系也是。

命运像神一样，其实也是我们的潜意识。不用挑战它，不用背负它，不要和它作对，和它一起走便是了，像自然呼吸一样，让能量互动，转换和交流。

能够路上遇上，好歹也是缘分，总有某种生命的暗示，在乎你有没有张开眼睛、耳朵和心胸。

世上没有单一的真实，也没有唯一可走的路，更无须助长所谓命中注定的迷信，令依赖变成唯一的路。

没有任何命运保证苦不再来，康复了不会再病，别幼稚妄望一劳永逸的治疗，和不劳而获的幸福。

无论你沿用哪家哪派的观点去接触"命运"这课题，例如紫微斗数、八字面相、星座塔罗、铁板神算、奇门遁甲、西洋占星等，只要是开放、开明、专业的大师，最后所得出的共识都是：所谓命数，其实没有绝对性。

性格最终决定命运。

命运会依照心意而改变，只要心意稍为变动，命运便大不同。

就等你一个决定，

生命将瞬间改变。

即使处于很不堪很绝望的境况，当我们怀着无私的爱，懂得用心和意志去调校自己时，命运便会跟着改写。

所谓"命"的意思，其实是指我们的所执，从性格上反映出来。最难改变的是性格，一般人的性格牢不可破，于是才有可算的命数。

命数没有虚玄，它只是按照你的性格规划出来的概率。

命运不是定律。在每个当下处理不同事情时，只是一念之差，转一个角度，甚至多转几个角度，整个世界，局势已被扭转。关键在我们是否舍得、愿意和接受，而非是否能够。

就等你一个决定，生命将瞬间改变。

人焦虑、不安和恐惧，是因为人情世事难预测，却无能力改变现实，困局没打开，看不到出口。

人情世事大多不了了之，无法解决，但没解决并不重要，重要是先解脱内心的枷锁，从改变自己的心态开始。

你没有被命运摆布，你不是受害者，你的问题很简单也很普遍，你有能力令自己好起来，也有能力选择更积极正面的路。

际遇不好其实反映了我们的能量正在流失，是损耗心力后对命运的主观投射。

心态如何，世态便如何。心一乱，即使最小的变化我们也承受不来。

人生没有命定的不幸，只有早衰的绝望。

信望爱很重要，有信念便能绝处逢生，有希望才能继续向前走，有爱能生生不息，永不放弃，不只为满足私欲而活着。这是生命的意义，存在的目的。

天灾横祸我们无法逃避，

除此以外，

便有很大的弹性和变数。

别怨命，命运没有待薄任何人，只会顺应你的心助你一把，你悲观时它会把你推向更悲观，你坚强时它会给你更坚强的力量。

你把事情想得负面，事情便会负面起来；你把际遇想得糟糕，它便会顺意糟糕起来。别变成思想的仆人。

能观照思想和情绪相互勾结的深层结构，便明白反过来和潜意识好好沟通，注入正面能量的讯息，命运也会改变。

所谓世事有定数的决定因素，是人本性难移的弱点，是不变的性格决定命数，而非天意。这也解释了同一八字同一姓名的人为何会有不同的命运。

绝望对应的不是命运，而是人心。

天灾横祸我们无法逃避，除此以外，便有很大的弹性和变数。

影响命运主要有三种人为因素：欲望、心瘾和固执。欲望是天性，可以自控和转化能量，在乎觉知；心瘾是惯性，也可以转化，在乎定力；固执是惰性和傲气的结果，要修心养性。

自困时，最容易得出的结论是：命运待我不好。可是跌倒，迷失，无助并不是命定的不幸，只是心智和心态上的惯性而已。

每个人都有绝望时候，无论你有多强多弱，拥有多少财富，这跟际遇没有必然关系，更多是源于内心的脆弱，一时迷失方向和自信的结果。

与其说际遇很玄，我宁愿看更能客观掌握的能量水平（energy level）。能量跌了，或者凝住不变动，际遇再好你也无从把握，白白错失。

所有事情都是自己导演的戏，由自己担演，自己删剪，自己观赏，自己自己。我们才是自己最大的因果关系。

世上没有单一的真实，

也没有唯一可走的路。

原来最好的选择，是亲手建立新的选择条件，另闯康庄新大道。

永远没有看透的世情，人事无常变幻不定。

镜子不但让我们看到自己，同时也可反映别人。我们更多时候不是只看到自己，反而是看不到自己，甚至不愿看自己，因为面对自己也是负担，宁愿看别人，活在别人的影子里。

我们无法改变际遇和不幸，但我们可以有觉知能力改变自己的情绪，所以有些人能坚强面对逆境，有些会沉溺在抑郁中不能自拔。成熟的人是对自己所有的发生负责任。

路的尽头是哪里根本不重要，不管你是否有来世，此生怎样死去，不要计算命运。眼前当下自有可观的风景。

孤独

孤独需要温度

家里有只年幼的小黑猫。

周日和它亲密地过了一天，像带孩子一样的交换爱。

晚上打雷下大雨，小黑猫害怕了，走进屋子要我抱，我抱它到窗前贴身地躺下，黑暗里一起看雨。它靠在我身上安心了，兴致返回，发现雨点嗒嗒地打在玻璃上滑下来，像看到新生物在移动一样兴奋，本能地用小手掌在窗上猛力拍打雨滴。

看到它老是拍不中，我便陪它一起傻，比赛斗快拍。

猫其实是自足和孤独的动物，喜欢独自禅定，自得其乐。

不过，孤独的动物为何还需要靠近别人取暖和安慰呢？

猫喜欢独自睡，但若身旁有猫或它信任的人时，总喜欢靠在另一个身体上睡。

这是一种情感需要，也是平衡身心理的需要。

　　哺乳类动物的特性是需要靠近身体，互相照应，感觉安全和信赖。

　　被猫亲匿地爬到我身上安乐地睡，多次被它感动到流泪。感谢它对我的信任，也感谢它印证了爱的需要。

　　进化的生物拥有爱的本能。

　　爱有很多层次，可能只需求安全感或依赖照顾，也可能追求更深层的心灵升华。

　　前者有机会变质成贪婪或霸道，后者或可进入修行路。

　　可以很简单，可以变复杂。

　　生命的本质是孤独，但孤独和入世亲近人并没有矛盾。

　　爱让孤独增添了人性独特的美丽本质。

　　孤独并非孤零冰冷，它追求温度的交感，让人变得窝心热暖，不致麻木不仁。

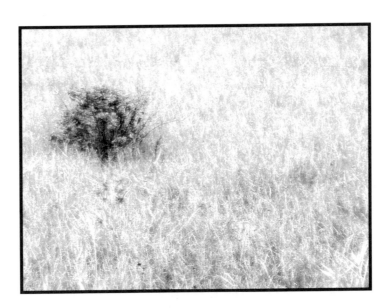

爱是最大的孤独。

爱是最大的孤独。

生命是孤独的，但并不一定寂寞。

存在就是孤独，不要迷恋依赖，破坏这存在的核心。

活得好便是好好跟自己在一起，经历震撼存在的奇妙体验，享受纯粹的孤独，保持创造力。

未曾孤独过，受不住孤独的人，永远不知爱的滋味，有的只是依赖的味道。

快乐的人不需要吸引别人的特别关注，因为快乐就是懂得享受孤独。

痛苦是害怕孤独的结果，也是要别人关怀自己最方便的手段。

存在的核心就是孤独，把孤独等同寂寞难奈的是脑袋，是我们和潜意识沟通不好，自信不足的负面心理效应，它跟孤独的本

存在是孤独的，

不要怕一个人。

质无关。

存在是孤独的，不要怕一个人，这是生命给我们的纯粹启迪，不带有任何意义。

生命从来只能一个人走下去，管你聪明愚笨美丽丑陋富贵贫贱谦虚自大，都只能一个人来一个人去。

一个人孤独，两个人同样孤独，存在从来是孤独的。

爱的本身是孤独，两个人的爱是两种孤独，一起分享。

和自己修补关系，学习宽容，一个人可以比两个人好过。

一个人的时候，有更大余地赤裸面对自己的盲点，还能多走一两步。

所有的智者、导师、治疗师，原来只是过路人，你不需要当他们的门徒。

在孤独中看见爱，返回自身好好享受和施予，生命才刚刚开始。

没有一个人可以依赖任何人，不是别人不可靠，而是每个人最终都必须经历孤独，面对孤独，学习和孤独相处，这才是人的尊严和本质。

孤独并没有不妥，反而令生命更自足，更懂得容纳别人，更懂得爱。

害怕孤独的人，其实是害怕承担自己。

生命原是独立的，虽然跟其他人有关联，却不构成必然被人介入的理由。

人需要独立的空间面对自己，这是人性需要，不是自闭或自私。

两个人的爱是两种孤独，

一起分享。

原来我们都害怕孤独，所以不管他如何虐待你，你还是宁愿爱他，借此建立存在感，感到还在爱着某人，有人能让你有归属感，可让你随时打电话给他，向他说鬼话，感到自己不是一个人。你最怕的其实不是失去他，而是失去响应你的声音，哪怕是骂你的脏话你也觉得很凄美。

原来每个人都是孤独的，无法直接看到自己，需要借助别人反照自己的倒影。

两个人也可以很寂寞，当你们无法沟通，无法欣赏彼此的存在价值，无法分享爱与关怀时。

你不是要拥有对方，而是需要爱。

恋爱需要耐性和包容，也是最孤独的人生旅程。

孤独本来便是生命的本质，负面的人却将孤独扩大，变成只有自己一个人领悟的独特的痛苦。

在孤独中瞥见爱，
返回自身好好享受和施予，
生命才刚刚开始。

不要害怕孤独，不要等待爱。

人需要亲密关系，需要追寻爱。无须执著一个人，两个人。你不懂得在人群中散发爱，你的生命你的爱，不过是脆弱。

人不怕孤独，最怕抗拒面对内心，无动于衷。

人是孤独的，但不用执著孤独。

当你接受黑暗，活在黑暗里，你将体验孤独的本质：自在，安全、平静，这也是爱的经验。

付出

迷信付出

有些人迷信付出。

最初崇拜某人，令对方注意自己，主动付出，希望他对自己另眼相看，不只待自己为朋友，希望成为密友甚至情人。

对方没有自己预期的态度，最初还会包容，再加努力，希望有一天他能接受自己的好意甚至爱。自己一点一滴的付出，刻意的讨好或义务帮助，对方感谢了，却没有进一步表示亲密。

由希望到失望，由失望到绝望，你开始动摇了，从欣赏到埋怨，从埋怨到责怪，你觉得对方负了你一番厚爱，不明白为何他要这样对你，你已经超标地付出了感情和精力，他怎能不领情，不动情？

　　你感到受伤和受骗，判了他的罪，自封受害者。

　　由向别人推崇他，唱好他，到现在刻意找例证唱衰他，为面子争气。

　　从崇拜到攻击，从爱到恨，不过是你自编自导自演的戏。

　　他是无辜的，不过是你设计的角色，他才是受害者。

　　人有寻找付出对象的欲望，希望找个人给自己投入精力和感情，哪怕对方是朋友、老师、上级或恋人，因为寂寞，自信不足，希望从他们身上找到被关注和重视的感觉。

　　可是心却很脆弱，容易摇摆不定，幻想自己的爱很坚定，却经不起最微小的考验，太在乎对方的回报，想象被感激和被爱的超现实，结果自卑和自大心理相冲，心理不平衡。

　　付出是需要条件的，你必须情感独立，体恤别人真正的需要，别一相情愿。

学会放开自己，

才有力量付出爱。

我们总以为自己付出很多。

能付出是幸福的，能享受付出更幸福。

只有纯粹地付出才是真正的爱，可是我们的爱难纯粹，带着太多欲望和承担。

学懂放开自己，才有力量付出爱。

假如付出就是苦，你的爱只剩下苦；假如付出就是福，你的爱便很幸福。

付出的条件是诚实、尊重和信念，对自己，对别人。

人要活得独立和自重，才有力量和能力去爱，去付出。

每个人都有爱，心是开放的话便会涌现爱。关键在于你是否能发掘内在的爱的能量，愿意付出，懂得量力去爱而不浪费。

能付出是幸福的，

能享受付出更幸福。

不愿意付出，只为自己而活的人无法感受爱，也无法爱自己，爱生命。

爱情初期难免是建立关系的感情投资，这不坏，不要吝啬，多付出。

没有付出，我们不懂得应怎样去了解一个人，跟一个原来陌生的人相处，看到更陌生的自己。

通过爱一个人，投入一段必须互相付出的关系，进一步了解人，了解自己。在优化生命这个意义下，爱情才算伟大。

怕失去是假的，怕恋爱才是真的，因为你不想真正付出，只贪恋别人的爱。

爱情并不是牺牲或臣下，这是很多女人犯的错误。为了爱情愿意付出一切，连最珍贵的尊严也愿意放弃，最终得到的不是对方的爱，而是一无所有。

我们总以为自己付出很多。

爱到失去自己，他的一切便是我的一切，把自己的生命变成对方的生命，盲目付出，死而后已，每刻都怕失去他，怕他离开，这便是过分，呛死自己，呛死别人。

无条件的爱是基于你有能力付出，爱若不能为自己和对方带来正面能量，令大家各自成长，不怕衰老，不怕失去的话，便是爱得虚弱，还未拥有。

你为爱付出的努力，并不保证对方必然的理解和领受。

爱是能量的付出，但付出过多，或错选了对象，能量不对劲的话，自然得不偿失。

盲目付出是冲动的感情，并不是爱情。

不要计较能拥有多久，付出，感受，感谢，已经足够。

想寻找真爱的话，必须先将真爱付出，感受付出的美。

爱不能一相情愿，
盲目付出。

幸福非必然。希望得到幸福，请先自己掏出来，大方施予。

无条件地付出的条件是，当你已很富有，心够坚定，不怕失去。

无条件付出不一定正面，即使你有无限爱，也不宜纵容免费午餐。当接收者的心胸还未豁达，放纵欲求时，只知理所当然，也是一种伤害。

爱不能一相情愿，盲目付出。

爱情毕竟是两个人共同缔造的情缘，单方面的付出并不确保幸福。

付出让生命发亮，赋予生命的价值。

只有愿意付出的人，才能真正享受自己的财富。

放下

放下 vs 放弃

她刚和男友分手，最初半年伤痛得死去活来，由不解为何会被抛弃，一心希望挽回，到后来的绝望。

由以往对他满心仰慕，到现在一想到他便是否定和埋怨，尽数他曾经对自己的不好，印证他是个不值得她再去爱的坏人。

她说："我已不再在乎他的一切，我已放下了。"然后把他以往送她的礼物愤怒怀恨地退回，抹掉爱的痕迹。

他的女友刚离开他，他由极力挽回到后来恼羞成怒，认定错在她，大家没爱过对方，否认她的爱，否认她为爱他做过的一切，要把这段情史一概毁灭。

他说："那些都是假的，爱是假的，我不再挽留什么了，我已放下。"

其实两个都不是放下，他们只是放弃了。

放弃是否定的，负面地毁灭过去，自欺欺人。

放下是泰然的，无须毁灭过去，而是肯定过去，让过去成为生命的一部分，态度包容和慈悲。

放弃和放下可能行为相若，但心态迥异，所反映的能量状态是正是负，可以当局者迷。

真正能放下的人，不会花精力解释过去，而是面向当下，乐活现在，包容过去的情缘和关系。

只有放弃的人，才会否定过去，带着怨恨，恶劣分手。

一场情缘，应好心珍惜，怀着感恩说再见。

情爱是让人成长的经历，好歹也是难得的体验。

没有所谓坏情史，是好是坏，在乎自己的心胸和气量。

爱，从来是一种修养。

放下很简单，

在于你是否舍得。

放下很简单，在于你是否舍得。

吃得苦不是目的，放得下才是真理。

在爱中修炼到放下自己，才是爱的终站。

能够稍为放下自我中心，为别人着想，让别人快乐，这是温柔的慈爱。

放得下，爱才真正活出来。

所谓出走，就是放下。

最难放下的，原是生死爱欲，欲断难断的自我迷执。

不该留的，不要挽留。

无法放下只是习惯，跟爱无关；无法忘记不等于还有爱，那只是惯性，甚至是惰性，因为你害怕孤独，害怕自由，独立不起。

吃得苦不是目的，
放得下才是真理。

学习放过自己，原来比要求学懂去爱更重要。肯放过自我虐待，已经懂得去爱。

放过别人，同样是放过自己，这是感情放生的道理。

看到别人的解脱，才看到自己的困局。

只要愿意放下自我，随时随地可以改变能量，解放自己。

分手不是唯一出路，死执不放才是死路。

对爱有信念，便不会害怕失去所爱。即使爱人不在了，藏在心里的爱会历久常新。真正的拥有，是永远在心底开的花，而不是死抓手中不肯放开的枯枝。

既然不能再爱，便应该放手，让感情流失，像排毒一样，把不需要的，甚至有害的物质从身上流走，说声再见再上路。

放过别人，

同样是放过自己，

这是感情放生的道理。

*爱*并没有失去，失去的只是一个路人。对方注定要离开的话，他由始至终也只是一个路人。

*依*靠过，领悟到，便要放弃，独自上路，转化领悟为爱的智能，能悟出爱的真谛，把它的力量发放出来，感染自己和别人。

*让*旧爱自然流逝，新爱才有更多位置打开自己的可能性。

*爱*能不在乎得与失，在与不在之间徘徊的话，才算真正活现过。

*要*真的放下，别眷恋过去，不再靠复活过去疗养当下的情感真空。

*恋*爱能令我们面对、了解、发掘和磨练自己，甚至是修行，最后放下自己。

*丑*陋分手和放不下的原因，其实与爱无关，大半是不甘心，无法容忍自己拥有失误的历史，宁愿互相折磨，自欺欺人，不甘

画上潇洒的句号。

从旧爱中成长过来，好好保留值得留恋的记忆，也是爱情给人生的礼物。

从失恋中成长，让人生变得更好，不然便是退步，浪费生命，在苦痛中迷失和沉沦。

分手是学习自处的好时机，应集中能量养神，安静，才能打开心眼看穿整段爱情历史的缘与孽。

爱恋中美丽的回忆可以保留一世，为生命充电，剩下的应该好心送走，不记来时路。

只要我们心平气和看清楚，打开心扉，那便没有失败的爱情，只会庆幸曾经有福深爱过，好好和旧爱说再见，祝福彼此的未来。

愈是大方，爱愈会走近。愈是小心眼，爱人愈感到吃不消，最终，赶走爱的原来还是自己。

不该留的，

不要挽留。

爱到放下自我，平静地等候自我的消失，不再贪婪拥有，不再依恋重逢。

放下执著是最大的自由，那是最孤独，最平静，最释放，最无忧，最喜悦的状态，不再有担心和焦虑，不再害怕走错或伤害。

怕成为别人的负累是自我的想法。怕失去对方是害怕空虚。怕依赖是自我，怕失恋也是自我，还执著彼此，你和我。自我游戏是最大的执著。

大部分的执著都是不知足，怕孤独，和忘记感谢。

没有事情是不可能的，关键在我们是否舍得放下当下的执著，包括自小养成的、坚信的信念，和自以为已得到并不愿放弃的，如财富、地位、名誉等。

能放下，才有新转机。

修心

大爱

好好爱自己的人有这种心性：

我知足，活得心满意足，每天有能力对自己对别人宽容微笑。

感谢生命给我的一切，我也尽我所能给生命最好的一切。

哪怕生命随时走到尽头，也无悔今生，我已准备好上路，走完一生。

怀大爱的人可以拥有这样的心胸：

我自爱，我知足，我感恩，我感谢生命，我尊重死亡，即使随时会离开人世，我也早已没有遗憾，只有无尽感激。

但我更愿意为爱我的，我爱的人活得长久一点，为他们活得更健康，乐于奉献自己，因为我的生命不只是我的，我的生命也是他们合成的。

我不只为自己完成自己，我更愿意分享我美好的一切。

能爱自己，珍惜生命，是一种福乐。

能放下自我，把生命交还宇宙灵性，融进汇集众多生命的海洋中，活好自己，无我地奉献，分享爱，拥有这种心胸，是尊贵的人性，也是尊贵的神圣。

愿意付出，怀着仁爱慈悲心的人有很多，但他们未必能真正惠泽世界，因为光有心不足以发挥力量，还需要纯真的分享心，平等心，及更重要的洞察力，知道到底别人真正需要的是什么，而不致一相情愿盲目奉献，因爱成害。

心术正气，能量强大的人，有条件为别人为世界付出优质的爱。

拥有大爱条件，拥有洞察力，并愿意无私地分享自己的人，才能为世人带来身心灵改变。

这是真正的慈悲。

我们无权介入别人的生命，

管好自己的生命已很安慰。

先管好自己，才张看别人。

我们无权介入别人的生命，管好自己的生命已很安慰。

佛陀和我们的分别就在这里：他选择在和平内，而我们还在徘徊。

有机会长大已是感恩。

要让时间过，要经历。

欠自己的，从来只有我们自己。

信念便是出口。

我们只能祝福过去，感谢发生过的一切。

我们即使无法为世界贡献什么，也别为它增添垃圾。

我们都想做好人，正因为我们都不够好。

身体和心理是分不开的亲密关系，锁紧身体，胸襟也随之拉紧。豁不开宽容的心胸，哪来容人之量？

包容是很大的爱，必须先由包容自己开始。己所不欲勿施于人。先从解放自我开始，打开心胸才能容人容己。

包容的智慧是，心胸要开放和大量，但不要姑息剥削感情的人。我们没有道德责任为所有人付出，耗损自己的正面能量。

一个人时，该有特别清澄的心眼，看透自身的困局。

每个人都有盲点，最大的盲点是维护自己的盲点，否定人家的盲点。结果我们有冲突，积怨气，互相擦伤对方的自我。

能超越依赖，方可真正紧扣；能超越离合，方知不离不弃。

从伤口中提升爱，从悲恸中体味净化和平静，便能看见更大的爱。这不是神才做得到的，你必须相信。

与其怨人一世，抱持狭窄心胸，不如向曾经伤害过自己，或者被自己伤害过的人说句感谢。感谢他们的存在，曾经相伴走过一段人生路，教自己学会更多的包容，你将充满爱。

能从缘分中提升自己，看破执著，了断前世积累的业障，这一生便没有白来，你将得到自由。

感谢不是扮演文明的礼教，而是不会返回怨恨的由衷体会，打开爱的心轮的重要能量。

感谢改变的不是关系，而是我们的心。

自我是最大的敌人，我们却宁愿成为它的伙伴。

我们有智力否定一切去强大自我，却没有智慧看穿一个微细的执著。

有机会长大已是感恩。

打开爱的心胸，平稳自己，才要求别人，还内心的自由和平静。

不要执著介怀别人的评语，我们要先分辨出自己的心态，知道什么对自己真正好与不好，有没有剥削别人，自欺欺人。这是修心养性的过程。

爱和恨是同样的能量，看自己希望把它转化到哪一面，那一面便主导了灵魂。

真正的绝望，是放弃正视自己。

我们花多少念力构想事情，事情便会受我们的潜意识影响，让事情变成构想的结果。

快乐，就是身心合一。

我们要改变的是自己的心胸，而不是别人的思想。

我们没有能力改变谁，能改变自己已经很庆幸，只能先反省自己，看清楚自己的缺点，先改变自己，才有资格和能力改善其他。

拒绝绝望是拒绝迷信，建立自信的选择。

能让你松弛和安眠的，原是昏暗和黑夜，而不是强光，只是大家忘记了。学习返回丰富的黑暗，强壮自己的能量，你将不再害怕什么。

自卑，不是活坏自己的借口。悲观，是养活不幸的食粮。自怜，是纵容自己，嫁祸命运的手段。

你不想人家怎样待你，你便将心比心，不要以同样不光彩不尊重的手法对待别人，尤其是你所谓最爱的人，因为这样做只会污辱了爱。

感情是脑细胞产生的化学活动，爱却是从心而来，是一种修养，甚至是修行的结果，而非一般的生理反应。

我们只能祝福过去，
感谢发生过的一切。

问题不在问题里。不是去solve（解决）问题，而是去dissolve（溶解）。

我们太惯性去思想，一旦发现脑里没什么在执著，找不到理由去感谢，去自爱，有点不习惯，觉得有问题，这才是问题。本来无一物，何处惹尘埃？

修心之路人人不同，不用比较，上自己的路就是了。

打开心胸，懂得知足和感恩，才会成功和快乐。

我们其实很富有。

当你的心打开了，你的爱就是海洋，不再贫乏怕受伤。

好好照顾自己的心，对自己的心温柔一点。

做回你自己，对自己的感受和情绪负责任。

成人成佛，是你选择的结果。

没有人需要成佛，我们只管做个合格的人便行了。

修养自己的品德和建立原则，不是为得到别人的信任和尊重，更重要是你可以信任和尊重自己。

小孩的心单纯直接，感受到爱便会满足，哈哈一笑继续玩，忘记过去，活在当下。

人要在全然接受自己后才能放下执著，转化能量提升自己。

别搞错，消灭心魔不是神的工作，而是人的责任。

开放的信仰，不会强加自己的想法和信仰在别人身上，不把宗教挂在嘴边，而是身体力行，低调优雅，心定神闲，眼睛会发亮，感染力很强。所谓见证或修行，能在这些人身上瞥见。

成人成佛，

是你选择的结果。

嫖客也可以是君子，好男也可以很虚伪。一个人是否可亲可靠，在乎人格和诚信，是否对行为和纵欲负责任。

大方的心才是最后的赢家，吝啬的心只会令你愈来愈小家，怨天尤人，最终得不到快乐。

不论活成怎样，人都应该被尊重，懂得自重。维护尊严便能自足快乐，感染能量。我们同是施者和受者。

经历过不幸更懂珍惜幸福和爱，被伤害过才知温柔和慈悲的美丽，关键在觉知，超越自己的限制。

超越恐惧的关键是变得平静和温柔，而不是寻找更强的力量抗衡它，否定它。这是最大的包容，这就是真爱。

人不是单为自己而活的，没有一个独善其身的人真正懂得爱。

关于素黑

素黑：宁静致远，大爱无边

千积雪（北京）　作家，素黑国内演讲活动助手

印象素黑

素黑是这样的女人，她把简单这两个字很灵活地运用在生活中，人际关系当中，衣食住行当中。在了解了她的"简单"之后，我深深地感动于，她这个胸中有真正的大爱女人。

她是很少见的头脑清醒的女人，从外貌的冷清静美，瘦小而平静的女子，到接受后如湖水一般温婉却坚定的素黑，这需要一个过程，一些时间。

素黑是直接的。她不会把问题绕着弯子说，而是直接讲她的感受，乍开始，很多人会认为她是高傲又挑剔的，熟悉之后会知道，她是简单，谦虚，但不讲多余的客套的。这样的风格与她太阳落在白羊座有直接关系，她只客观地讲出本意，与针对无关。

她认为的品质生活是，简单，非常非常简单的生活，但有流动性的。最纯粹的存在状态就最好。不用拥有特别多东西，不用去奢求什么，素黑的家里本着越少东西越好。有的都是必须品，很少装饰物。但她喜欢流动的，会一至两年搬一次家，刚搬到新家的感觉特别好，很安静。有大山大海，大鸟飞过的感觉。

素黑很少买东西，买了东西就一定会放在家里，而家里的东西一旦太多了，她会感觉到不舒服，她最喜欢"家徒四壁"的感觉了。她对衣着方面也没有太多的要求，能穿即可，而且，她可以自己做衣服及改造衣服，她的裙子，衣服，包包很多是自己造的，除了鞋子要买来穿，其他的她基本可以自己造。

素黑说了一句让我特别感动的话："我想以简单的生活，尽量不动声色地在地球上存在着。静静地来，静静地离去……"

大爱素黑

印象素黑里的印象，会把素黑描绘成一个冷漠的女子的图像，其实，她是充满了爱和包容的。她的爱，不是跟你碎碎叨叨地讲话，她主张，安静。从安静里观自己的一举一动，看自己身体的变化，听周围声音的变化，甚至可以听到身体本身的变化，当自己真的安静下来，那个力量可能是无限大的。

对于一个人的爱，素黑不是跟你扯皮聊天，而是在她最疲惫的时候，还愿意支撑着自己的身体教会你一两个英语单词；她的爱是在你手忙脚乱犯了错误的时候告诉你，不要怕，每个人都会这样，我也曾经犯过错，而你已经做得很好，如果能更好一点，你就更专业了；她的爱是站在你身边，静静地看着你成长，不给一句指责，在做对的地方，竖起大拇指说：做得很好；她的爱是在你受委屈的时候，跟你一起大步流星地往前走的同时说一句：他爸的！跟你一起去小小的愤怒……

对于一个集体的爱，素黑不是夸讲某个人做得特别好，她会很安静地看大家的忙碌，然后说，我很感动，这个集体是充满了爱和力量，少了任何一个人，我们都不会有今天的圆满面；素黑会在某个人很疲惫的时候说，嗨，小朋友，你该好好休息喽；素黑会在她需要帮忙的时候加一个"请"字；素黑会在你做的任何一件小事的后面，加上一句很诚恳的"谢谢"；素黑会在每一次分别的时候，给每个人一个很真诚的拥抱……

前不久在广州结束的工作坊，收入的一部分，捐给了广东公益恤孤助学促进会，捐助一对一地资助两名小学生各十个学期的费用……

只能爱黑的素黑

大爱素黑里，她突然变成了一个完美的女人。其实，她也不是一个完美的女人，她有她的原则和需要，她有她的最爱和只能爱。

一个只爱黑的女人，多少会让别人觉得有点怪异，也会有人觉得是怪婆婆，更近的面对素黑的时候才会发现，她对黑的爱，是对生命之源的敬畏。

她不是奇怪的女人，她简单的像个孩子，她之所以爱黑，是因为不必特别多心思去搭配自己的衣服，一件衣服可以穿十几年，而且，可以是自己亲手做的，亲手改的。她只能爱黑，是因为黑最简单，是因为黑是一切的开始，也是一切的结束。

当黑成了生活的一部分，当从内心深处接纳下了黑，生活一下子变得特别简单了，不必要费心思地想着如何搭配衣服，因为，只要有黑就够了；不必特别费心思去变换发型，直发，黑色，也很美了；不必过于表现已经在人群中一下子被看到，因为，只有黑。

黑。一个低调的姿态，变得多姿多彩起来了。

这才是素黑

素黑是个真正的艺术青年，她爱尺八，爱音乐，爱铜罄，爱钢琴；爱声音带来的一切变幻的人生状态。她却不孤芳自赏的爱自己，她会推荐身边的朋友给大家认识，在音乐方面她会推荐非常有才华的李耀诚先生的喉唱给大家见到；在素黑的工作坊中她会推荐另外一位导师Ocean Chan，这位跨界艺术家，人道主义者，艺术教育及治疗工作者，成为她的工作伙伴，她推荐用自己的力量，推荐出身边非常难得的朋友给大家见面和认识。

素黑尊重生命，从乐器，植物，衣服，用品至人。如果一个谦和的人，对别人尊重那仅仅是礼物，而素黑的尊重，是发自内心，哪怕是她的一支笔，很普通的，她都带着尊敬的心去爱它，而这样举动，比通常说的环保，宗教更加真实。

她是一个多么好的人。当一个这么好的人在我们的生活中，时时的折射我们的不完美，有些人就会觉得，她是奇怪的，明明正确的，却在这个错综复杂的现状社会里，变成了一个怪人，素黑，依然安静，不多语言。怪就怪吧，叫怪婆婆那不是更好。

素黑是个爱自己的人，她给自己煮简单的食物，她会很用心的慢慢地吃下自己煮的东西，她爱自己的身体，不让自己吃垃圾食品，她相信身体是艺术是自然是人是身体本身，没有健康的身体自在的心情，不能提升心灵，也不可能传达爱。

只能爱黑的女人，更爱宁静，她认为宁静是最美妙的音乐，静观音乐让人启发智慧、感受和平、福乐和宇宙大爱。闭上眼睛，打开心窗，自能以细腻温柔的拥抱，观照自然美，生命美。

灵性的舒展

素黑的许多追随者和喜爱者，都认为素黑是非常有灵性的人，而且是在灵性寻求的道路上相当成功的一位。素黑本人却并不认为自己在灵性的发展上有什么成就，她很谦虚地表示只是在做一直做的事情，而这件事情涉及着写作、演讲及一些活动或工作坊。她自己只认为这是有一个分享心灵经历的机会而已。

这不得不让人想起那个佛家的，空杯归零心态的故事。她是那么的丰富，又给许多人带来了心灵治疗的导师，还用这么谦卑的心态来诠释自己。

素黑说最好的治疗是提供一些专业的指引，重点还是自疗，也可以称为自愈。关于来治疗者，素黑不愿意称其为病人。"我只能说，没有人的心理是没有问题的，正如没有人是不生病的，只是你的病有没有发作出来。我做的工作只是告诉你重点在于爱，自爱，不在于治疗。用英文好一点，healing是指整合身心灵的。therapy却是有病要医的概念，我做的是healing，这样说的话，有病没有病的分野就不再有意义了。重要的是，我们有没有认真面对自己，是不是想更爱自己。"

拥树听海抱石观人生

拥树，是素黑很爱的一项"运动"，越古老的树能量越大。与石头亲密接触，可以躺在大石头上，如果寻找不到大石头，也可以在掌心捏一块小石头，感受大地能量。享受孤独，留给一个人的时间里，做些自己真正喜欢、心情放松的事，对她来说，目前是做音乐。不定期离开都市，去有山有海的地方、默默与自然对话。

素黑的最钟爱体验是，拥树、听海、抱石。从拥树听海抱石的体验中，她和宇宙极度靠近，尤其是海，海一直和她有很亲密的关系，这几年一直住在靠近海的地方，每天一定要看到海，很多时候，跑到海边纯粹为听海。

有时，把自己的说话和泪水投向海里，像祭祀一样，也是净化自己的过程，海浪声有强烈的治疗效用。海的能量很强大，光是看着海浪明暗涌的流动，已经很感动，会想，哪里来的力量，能推动大海，自然的力量真的很惊人，在它面前，很难有自我，只能谦卑。就是必须谦卑的感觉。

相反，树、山给她静。她的个性是需要经常流动，所以海的脾性很让她亲近。虽然大海很狂，很强，同时也很包容。人有限，自然无限。最强的力量不在个人，不在物质，而在天道、大自然。大海、老树、耸山，它们拥有最纯粹最无私的力量，绕过道德、思想、情绪和欲望等人性的限制，无条件地付出能量，让生命延续。

生命中的不能割舍

生命历程中哪些是素黑不能够割舍的，这是许多朋友对素黑很关心的问题。她很认真地说，"这个问题，我一直问自己，不同阶段有不同的答案，曾经小时候，以为思想是不能割舍的，后来，发现真正不能割舍的，是爱！不能爱的话，活不下去。那怕有吃的有穿的有住的。"

相反，在素黑的思维里，一直教我们要学会舍，比如，她的著作《放下。爱》就是舍的一种；要大家放下之后，接着告诉我们的是《一个人不要怕》，如果做到这些，我们会慢慢地学会爱，真正的爱，于是有了《在爱中修行》。当大家清晰地看到了一个立体的素黑时，不仅开始极爱极爱这个女人，更爱她所带来的一切。《两个人的孤独》之后，又有一本小说《出走年代》进入了大家的视野，这里让我们看到如此安静的女子，喜欢的音乐竟然是摇滚。

爱·安静

素黑最近的动态，离不开一个主题"爱·安静"，这原本是立品图书公司为了配合新书宣传的一个活动，结果，感性的素黑将它变成了一场很精彩的见面会。

每个作者在新书发布的时候，都会多多少少去推荐和推销自己写的书籍，素黑是例外的，也许源自她在人们眼中的"另类"。

素黑认为，她的书里已经写了够多了，再与读者有近距离见面是希望给对方带来些新的东西，在忙碌而喧嚣的生活中，我们常常忘记倾听自己的内心，感受自己真实的存在。

与素黑的见面会中，她吹奏尺八（一种古老的中国乐器，一千二百年前传入日本被很好的保存了下来），让你用心去倾听声音，感受自己的内在变化，在素黑的艺术治疗或心性咨询中，让读者可以很快速的连接内心，和潜意识沟通。

素黑同时也运用专业的声音治疗，音叉。让人从追逐纷扰的忙碌中，瞬间的归于平静和安静，通过跟随音叉的声音，释放压力、解除焦虑、破除执著，并发掘自己潜意识的无限能量。

还有铜磬，让人在最宁静中，听到很遥远又可靠近的声音，很多人当场就落泪，太多人从来没有认真的听过自己，自己身体的声音。

从去年至今的近二十场见面会当中，素黑一字未提自己的书籍，并告诉大家，不要喜欢素黑，不要喜欢素黑的书，要找到真实的自己，活在当下。

这个让许多人感动的女子，她没有让别人盲目的追随她，她也不愿意别人来崇拜她，她愿意在一次次见面会当中，让有缘分的人得到心灵的宁静，她环保，她节约，她不浪费任何的时间和钱，她不追逐名利，她只爱自己的音乐和追求的艺术。相信，如果这些场见面会中，你在其中之一的话，这些也一定是你的体会。

素写素黑

她拒绝消费许多东西，会因为买回的东西会产生大量的垃坂而不安。

她不愿意去超级市场，那里大多是"废物"，而消费早已不是为了需要，而是浪费。

她会为地球的已渐被破坏，而深感心痛。

她是素食主义者，但非绝对素食主义者，深海鱼油她会选择吃，在阳气不足的时候，她会喝一点牛肉汤或吃少量羊肉，但生活中，基本是纯素。

她是一个极怕浪费的人。吃素简单舒服，消化荤菜会耗掉多一倍的能量，而肉食的酸性也会令人容易疲倦，她已经将环保和简单用于自身了。

她可以放下很多东西，但唯有两支纯黑色的尺八是她的最爱。

她有节约的美德，吃饭过后一定会将吃不完的食物打包。

她有简单的习惯，在北京约朋友见面，坐地铁她觉得很方便，并不用车接车送。

她有满怀的爱，并不是抱拥你不放手，而是告诉你，你可以，去体验就好……

后记

从不了解素黑，到慢慢的喜欢，到极爱，是一个自然而然却又不短的路程，她对爱、对生活、对人生的理解，让我很爱她。我俩曾经有过一次让我感触颇深的聊天：我天生胆小，怕鬼，其实知道没有。她的解决方法不是告诉我，不要怕。而是告诉我，它爱来就来，你跟它一起待着，它待在你的身体里也可以，欢迎。并无需要害怕或者是对抗。如果真的有鬼的话，它见你不跟它对立就觉得不好玩了，自然就走了……

我顿时有点明白过来，原来是自己一直选择二元对立。

此后，我做到了，一个人不要怕。

素黑：寻找大自然的能量

王晓雪（上海）　LOHAS杂志前编辑

　　按照约定的时间，我靠在酒店大堂松软的大沙发上等素黑。低头整理采访提纲的时候，耳边传来一声招呼："晓雪你好。"温和亲切的女声，带着港音的普通话，我一抬首，见到素黑站在面前，微笑着朝我伸出手来。我有些意外，我以为，这个永远一袭黑衫，听说一个月最多只接见一两个客人，几乎只在网上回复求诊者的心性治疗师是冷傲而孤僻的。

　　拍照的过程很迅疾，直率的素黑说不爱拍照，不过喜欢树。于是，我们就在一棵枝繁叶茂的百年古树下完成了所有的造型：倚树听风的，与树拥抱的，在树下闭着眼寻觅音叉敲击的声迹的……很顺利。我忽然明白，素黑的看似挑剔和不配合，其实是因为她太了解自己，知道什么是她要的，以及她适合的。而这对很多在纷繁的人世中迷乱的人来说，太难得。弥足珍贵。

从大自然中汲取正面能量

结束拍照，阳光正好，我们在毫无荫蔽的田径场穿行，试图寻找一个适合聊天的角落。溜达了一阵之后，素黑说："不如就在这儿晒太阳？"太好了，如我所想。于是，我们欣欣然在洒满冬日暖阳的大草坪上背朝日光席地而坐。

"太阳能给予我们正面的能量。如同树、海和山一样。所以，最有力量的治疗师不是哪个人，而是大自然。它有着谁都无法比拟的超能力，让爱和生命延续。当你需要抚慰、勇气和快乐的时候，到大自然中去，打开身体的每一处感官，投入地去看、去闻、去聆听、去触摸……就像那个孩子一样"，素黑指向不远处，一个一两岁的小男孩正在草坪上追逐一个滚动的皮球，他叫着跳着，全神贯注又兴致勃勃，"我真想对那些要疗伤的人说，去大自然里与孩子玩耍吧，这是最有效的秘方，其中蕴含了最纯净且强大的能量。"

素黑的话让我想起自己对大海的那种莫名的依恋，我对她说："每当我到低潮期时，都会在睡梦中见到大海，醒来后，就会找个最近的周末去海边，而每次只要到了海边，我的心就平静了下来。"我看到素黑的黑眼睛里有赞同的目光："你是一个会自疗的人，而且你很善于借用大自然的帮助。十年前的那个秋天，感到累极了的我抛开一切出走浪荡，也是被大海神秘的力量召唤，在英国南部小城布莱顿一待就是一年多。每天坐在面朝大海的窗前写字、看风景，平静又快乐，那个海边的小镇给了我再生的力量。"

安静，在于安，而非静

几个月前，素黑和两个同样钟爱声音，并以此为专业的朋友在香港共同举办了一场全黑静心音乐会。在一个布置得漆黑不见的书店里，全心享受框鼓、喉唱、尺八、铜磬、情感声音……在那场音乐会上，素黑建议听众："跟着声音的流向伸手摸黑，抚摸声音，或者随意打坐、站禅、轻微摆动身躯、摇头摆脑，或者纯粹的静默，让一切的发生降临身上，把感觉温柔地放在心的位置上，滋养心灵力量。"

从小就迷恋于各样声音的我听来不禁心向往之。见状，素黑说："我吹尺八给你听。"她从随身背的布包中拿出尺八，这是我第一次见到这种名字独特的竹制乐器，虽然我早就从素黑的文字中知道这是她不可或缺的亲密伴侣，以至于她在出走浪荡的时候都带着它。空阔的草坪上，素黑在轻轻拂过的风中呜呜地吹起尺八，我闭上眼睛，聆听这个空灵又沉厚的乐音，寻找它萦绕出的静谧空间。

继而，素黑在我耳旁敲击那套名叫"天使"的音叉，一声，一声，悠扬辽远，绵长不绝。我仍旧闭着眼睛，不自觉地，心就循声而去，那一瞬，空间仿若静止了，追随到最末的一丝，我发现了自己的安宁。这就是声音的力量。

"平衡身心灵的方法，不是要让一切停下来，静下来。如同我们常说的'安静'这个词，其实关键在于'安'，而不是'静'。其实很多人都害怕'静'，因为当周围'静'下来时，人就会面对自己，这却往往让人愈发慌乱。这个世界本来就是动态的，但凡有动就会有声音，所以求静不如求安。重要的是，我们如何寻找到与自然、与自己共振的那个声音。"

学会与自己共振

"与自己共振？"我有点疑惑。素黑教我捂住耳朵，闭上眼睛，吸一口气，然后持续地从喉到腹发出呜或啊、呃、嗯的声音。"你可以尝试不同的调，寻找到让你最舒服最放松最沉静的一个，那就是属于你自己的独一无二的声音。当你发出这个音波的振动时，你会感觉到与自己的共振，共振也是一种和谐，是人所需要的诸多能量的来源。而人与人之间，如果寻找到心的共振，那就会让整个世界都美好起来。"

当再次睁开眼睛时，我与素黑相视一笑。从光到黑再到光，一次小小的尝试，我想我能感受到素黑所说的：让黑暗来增加意志和爱，强壮自己的能量，你将不再害怕什么。

我不得不说，这不像是一次采访，倒像是一场私聊，甚至是一场玩耍。我们吹尺八，听音叉，捂着耳朵发出自己的喉音；看不远处叫喊着蹦跳的小孩子，感受眼前飞过的昆虫翅膀扇动的频率；我告诉她我的喜好，她教我如何观照自己；而在我们分享各自出走和观海的经历之后，惊喜地发现彼此是能够共振的人。

"寻找共振，尤其是学会与自己共振，这是我们能够获得源源不绝的能量的最好方式。"是啊，获得源源不绝的能量！难怪这个岁数整整比我大一轮的黑衫女子，在灿烂阳光下笑意盎然地说："明年，我十九岁！"

原载于LOHAS杂志 2009年1月号

我的存在意义，就是分享

黄长怡（广州）　《南方都市报》记者

没有病人，只有迷失者

南方都市报：你的书中讲到关于自虐、受虐的问题，现代都市女性为什么常遇见类似的情感问题？

素黑：我想是因为女性对自己的潜意识心理不认识，过于感情用事，表面以为是付出爱，可是所发放出来的能量并不够正面，错用的能量让女性爱到失去自己，迷失和倾向投入负面情绪，渐渐变成情感的惰性，忘形地享受着隐性的自虐和他虐的快感。

南方都市报：将病人的故事公开，她们愿意吗？

素黑：她们不是病人，她们只是求助者。在我的治疗世界里没有病人，只有迷失者。所有公开的个案，都是事前让她们知道的，而且我在网站上已列明提案者的个案有可能被出书，不过身份会被保密和修改。

南方都市报：你觉得对这些求助于你的人，怎样的帮助才是最好的？

素黑：首先让他们不自封为病人，并且要相信自己有能力治愈自己，帮助自己。然后是让他们明白一切问题必须先以定心为基础，而非解决。有太多问题并不可能一下子解决，应先处理心态和情绪，把问题先搁置一旁，不能放下问题，便应先放好，先从身体入手改善自己的情绪，而非在问题里兜圈浪费更多的能量。待情绪舒缓后，再回头看问题，问题自会被融化，而不执著于解决。

先从身体开始改善自己是很重要的，太多人只想到在所谓心理的层面明白问题，其实我们没有那种智慧，可身体已经在受罪了。我们对心理并不理解。我们惯用脑袋处理、解决和制造问题，忽略了更关键、影响力更大的心。很多人因为情绪问题而患上胃痛、头痛、失眠、便秘、痛经等，却觉得这些并不重要，重要是先解决问题。其实这是错误的。一个长期失眠和便秘的人，不可能改善情绪，也同样不可能解决困扰的问题。自爱的第一步，是先照顾好自己的身体，才能改善心性问题，达到心灵提升的层次。这是身-心-灵的修炼次序。

不能"放下"就先"放好"

南方都市报："放好"与"放下"有什么不同？

素黑："放下"是要修炼得来的，要把自我看得很清，欲望放得很低，但这并不容易，一般世俗的人，很难短时间内修成，所以，在治疗的层面，希望短期内有改善身心的效果时，最好是先"放好"问题。"放好"是没有否定问题，只是先搁一旁，做别的，把能量转移到其他事情上。放好，就像我们把不舍得扔的东西找个地方先藏好，和它重建关系，但不太亲近，让大家都改变。某年某月，再把东西拿出来，可能已可以怡然地扔掉了。但不宜积累太多东西，可以减的，就先减。要让时间过，要经历。这是我的箴言。有一个疗法是我建议的，就是，女士们能把衣柜内三分之一的衣服和鞋转送或扔掉，你的情绪会改善最少三分之一，心胸会扩大三分之一，剩下的，就是心灵的宝藏，人轻松简单多了。

南方都市报："放好"这个说法是你的创造吗？

素黑："放好"是我创造的，但这并不重要，其实没有什么是某个人一人创造的，这是智慧，是宇宙创造的。

南方都市报：先从物质，再到心理是吗？

素黑：可以这样说，从日常生活开始修行。有些人可以一开始就修心，但消费狂的人、没安全感的人，可以先从放下物质开始修。

南方都市报：其实消费狂是不是一种都市病态？

素黑：对，也是被商人集体催眠的结果。但我们被催眠以为那是需要，不买不行，不安全。现代人追求的安全感，已和物质分不开。连爱也要扣紧物质，不然，就是虚无飘渺，很荒谬但很现实。

另一个放下的方法，就是靠近大自然和自己的声音。让自己和大自然的声音共振。我在广州搞的工作坊，就是以音乐和声音为主，重归内在声音。还有现场的框鼓演奏，那是有最长历史的定心方法之一，其二是歌唱、声音。

南方都市报："身－心－灵整合"又该怎么理解？

素黑：这次序很重要，因为一切自我修炼都必须先从身体开始，身体是修养的第一步。一个人要爱自己的身体，才能接受自己，才懂得爱，因为爱是很具体的感觉，是身体处于舒服和放松的感觉，这感觉让人产生心理舒泰的效果。这样的身和心才能互动，两者协调成最优化的状态，便能提升至超越物质和身体的心灵境界。

南方都市报：你觉得读了你的书，读者可以从书中找到解决自己问题的方法吗？

素黑：读书是不可能解决问题的，治疗的重点不在读书，而在行动。我的书只是路灯，让迷失的人看到前面有一点光，真正治疗自己的不是我的书，而是他们从书中感染到力量，认同和愿意走出自爱的第一步。

面对情感不可能有专家

南方都市报：以你这些年的经验来看，现代人的情感问题的趋势是怎样的？

素黑：情感问题历来都大同小异，都是执著和贪恋的结果。现代女性经济独立了，问题也多在心灵层次得不到交流的空虚上，而非如以往更多是担心失去伴侣的经济支柱，得不到社会的认同等。物质的富裕让人对爱的要求也变得更物质化，也更难得到心灵的满足。

南方都市报：你如何让读者对你完全敞开心扉？他们为何愿意和一个素不相识的人说出心里最深的秘密？

素黑：我天生有让人信任和对我敞开心扉的吸引力，这点我也不很清楚为什么。但有一点我是肯定的，我是非常坦诚和认真的人，我非常尊重来找我的每一个人，也许是因为我的门是无私地打开，让人感到很安心，能信赖。当然，我的专业和修养也是让他们愿意靠近我的原因吧。

南方都市报：你是心性治疗师、作家和情感专家，在这么多的身份之中，你最喜欢哪个？

素黑：我感到最舒服的是写作，心性治疗只是我在世修行的一部分，它不是身份，也不是事业。情感专家只是媒体封的，我并不觉得自己是情感专家。面对情感不可能有专家，那不应是一种职业。

南方都市报：你书中提到有"医者能医而不能自医"的情况，你有吗？

素黑：我也会有一般人的烦恼和情绪，但我能观照自己，并愿意让自己平衡起来，有高度的觉知让自己不陷于沉溺痛苦和自虐的隐性快感中。我最喜欢以出走的方式让自己放松，出走是我最喜欢做的事情，也是我感到最自在的存活状态。

南方都市报：你说过解梦不能信，很危险，因为做梦很随性，为何在书里你还在为别人解梦？

素黑：解梦的意思是用梦里的内容和特征套入既定的解读意义里，为梦找一个解释。我并不认同这种解梦行为，因为那不符合梦的结构和特性。我在书里不是解梦，而是带领读者从做梦的情绪更了解自己当下的心理困扰或潜意识的暗示。就像催眠一样，那是我们和潜意识沟通的方法，而非解读自己的途径。没有人能解读自己的潜意识，但我们可以学习和它相处和沟通，更进一步了解自己的当下状况，观照自己。

南方都市报：你当过老师，做过多年的艺术工作，是如何走上现在的道路的？

素黑：是缘分。我是有很多变化、不断向前的人，由艺术工作到教学，到心性治疗，写作，其实都是贯通的。我关怀的是人性，做任何事都以人文关怀出发，如何尊重人性、尊重自己和别人，尊重生命的本身。近期我更多在声音、音乐和静心上研究，发掘其强大力量，如何更有效让人平静、发挥爱。正在计划一些静心工作坊，也正在作曲，设计自创的观音定心钢琴、尺八音乐，也会在工作坊里现场示范，也将出版自己创作的静心音乐CD，还有很多其他相关的计划如生命教育、生态旅游项目和公益赈灾活动等。

能赤裸在海里是一种幸福

南方都市报：你大学期间是涉猎广泛的"旁听狂徒"，学习过哲学、医学、政经、艺术、音乐、文学等，有没有学过专业的心理课程？

素黑：我中学已修心理学，但我目前的心性治疗内容跟心理学无关，必须强调我不是心理治疗师，也不是心理学家。西方心理学有很多限制，反观东方有很长久的修心传统和方法，我的心性治疗是结合古今科学、哲学、心理学、医学和艺术的共融。

南方都市报：你的性格很敏感吗？是否觉得自己很适合这个工作？

素黑：我的直觉很敏锐，对别人和自己的感觉、情感状态很敏感。必须再次强调我的心性治疗非工作或职业，是我个人修行，贡献自己的路。

要洞悉别人的心、情感状态和潜意识并不容易，也不是从书本、专业或学科学回来的。你必须是个心很清纯、很豁达、正气和充满大爱的人，才能有能力看穿别人的心和困苦所在。

256

要治疗的话，光有心是不够的，更需要涉猎不同文化、宗教、科学和艺术等知识，经历和感受，融会贯通，不断进修和自我提升，更重要是放下自我，让宇宙能量通过自己向别人奉献。我的智慧和能力不是我的，而是宇宙的大爱给予的。

南方都市报：能不能说你是内向的人？

素黑：我很外向，也很享受一个人。我是安静，并不内向。内向，若是一般的意义，就是收藏，不分享。我不是，我是内"观"多一点，呵，是很活跃和敏感的。我的存在意义，就是分享。分享非常重要，治疗也是分享，艺术也是分享，爱也是分享，是能量交感，温度交流，很美丽的存在状态，能这样活，不可能寂寞、害怕。我只是聆听上天给我的启示，贡献我的能力。

南方都市报：听说你又要出走，是因为最近太忙想放松吗？

素黑：出走是必然的，这次重返十多年前出走的布莱顿，到海边。

南方都市报：为什么是必然呢？

素黑：对我是必然，因为我最舒服的存在状态是出走。

南方都市报：在海边做什么？

素黑：安静地坐着，沉默，听海，睡觉，感恩，吹尺八。

南方都市报：你是自己找一个房子，还是住在旅馆？

素黑：找能短租的房子，我不喜欢酒店。我喜欢自己煮吃，我吃得很清淡，馆子的太油太多调味品。

南方都市报：你说过你很少化妆，看起来你很年轻。

素黑：心态年轻，自然看起来年轻啊。我常觉得自己已回到19岁，很快会回到9岁。化妆我是不喜欢的，也不懂，没研究。礼貌上需要化妆的场合可以化一点点，也没什么。我只是觉得，好端端的，把东西涂到脸上，不舒服。可以的话，我也不喜欢穿衣服。我在家就常常不穿衣服。我喜欢轻松自由的感觉，可因此常常被冻病，呵。能赤裸在海里，是一种幸福。

原载于《南方都市报》2008年12月14日，内文稍经编辑

爱在阅读素黑时

陈天瑜（香港）　知出版前编辑

发现自己的能量

在美国作家Malcolm Gladwell的畅销书*Outliers*的封底上，《泰晤士报》给了这样一句评语："他是最好的作家，因为他让你觉得自己是个天才，而不是他。"（He is the best kind of writer—the kind who makes you feel like you're a genius, rather than that he's a genious.）读到这句话时，我立刻想起了素黑。读素黑的文字、与素黑聊天，不知怎的，总能让人发现自己内在的能量。素黑讲话，节奏是慢慢的，语气是肯定的，脸上是笑笑的，用词是精确的，简单的几句话、几行字，便能替你拨开那层朦胧的云雾，看见最清晰的画面、最真实的风景。老是觉得，她一直想给我们的，是一根鱼竿，是让我们遇见自己、面对自己、发现自己、治疗自己的工具，她并不会直接给你一条鱼，因为吃光就再没有下一条了。

带来宁静的声音

　　记得第一次参加素黑在香港的新书发布会，当时我是出版社的工作人员，才认识素黑没多久。每次协助举办演讲或发布会，由于身负工作责任，加上本身并不是很擅长控制场面的那种性格，也不太爱人多热闹的场合，我整个人都会变得比较紧张，全神贯注地留意现场的各种情况，所以老实说，很多时候对于演讲的内容，并没有听进去，事后也不太记得；好几次活动结束过后，可能因为神经紧绷的关系，还头疼得厉害。可是那次参加素黑的发布会，却让我有不同的感受，印象深刻之余，还获益良多。那次的发布会名为"静心观音"，素黑带来了一个类似砵的东西，黑漆漆的，长相奇突，觉得有点像客家擂茶用的擂砵。由于忙于现场准备工作，也忘记问问素黑那是什么宝贝。发布会上，素黑请听众闭上眼，说要敲打那个黑砵，教大家静心的方法，出于好奇，我不禁跟着她的说话去做，与大家一起闭上了眼睛。在黑暗中，耳朵听着那一下下、缓缓的敲打声，那种悠长、深远、空灵的音色，让我莫名感动，每敲一下，全身都起鸡皮疙瘩，仿佛进入了另外一个空间。后来我才知道，那黑砵子叫铜罄。虽然我没有素黑的铜罄，但这种独一无二的声音却烙印在我的脑海上了，有时候觉得烦躁了，会不期然想起这个声音，心里便会找回一点平静，这是很宝贵的一种能量，因为可以用上一辈子，不会消失，也无需借助外界，便能拥有安抚自己的力量。

有话直说的作者

我很喜欢跟素黑合作，每次编书的过程中，她给的意见和指示都十分清晰，有话直说，就事论事，从不会让人无所适从，也无需耗损心力地掰开各种客套场面话的表皮，再浪费时间地寻找对方真正意思的核心。素黑说，有些工作伙伴很怕她，因为她对工作有要求、有态度，他们若不尊重工作，不尊重自己，遇上她，便会害怕，觉得她挑剔、难侍候。其实他们害怕的，是自己，他们担忧别人的专业，会映照出自己的无能，无法面对了，不想接受了，便以指摘对方的方式以证明自身的合理。但如果你是一个敬业乐业的人，和素黑合作，会觉得她十分开放，非常宽容。她会提醒你要注意某些事情，但不会责怪你，她会说，没关系，慢慢来，还有谢谢你。一句温柔的话，反而让人更不敢怠惰了。有一次，我跟素黑说想到内地工作，原本只是纯粹的聊天，本身也没有什么具体的计划，她竟然二话不说，给了我一些内地出版界的信息及编辑们的联系方式，那可是她累积多年的宝贵人脉资源呢，真让我既惊且喜。其实我们平日相处的时间不长，每逢出书期间才有较多的接触，一般人才不愿意如此大费周章吧。感谢跟感动，实不足以形容我当时的心情。

阅读素黑的美好

为了编辑这本书，我一口气把素黑的所有著作看完，部分内容更反复看了好几遍，我很感恩能有机会担任这项工作，因为素黑的文字，只看过一遍，有时未能发现当中的深意，多看几次，体会更多，同时记忆也较深刻。素黑的书，帮我理清了许多概念，一直以来，对爱情的某些想法，是迷迷糊糊的，自己也搞不清楚当中的道理，但素黑一语中的，简单明了，这让我在两性、爱情、自我方面的理解，层次上一下子提升了不少。后来我有好几次想发脾气破口大骂男友不解温柔、不懂体谅之际，脑海中浮现了素黑的话："女人只能改变自己，不是男人。"埋怨、责怪的话，顿时停在嘴边，脸上自动换上一抹仿佛洞悉世情的微笑，当然，也就此化解消弭了一场只会互双伤害的无谓争吵。不过，努力学习迁就付出之后，另一个困惑出现了。到底付出与自我之间该如何拿捏？太迁就对方了，会失去自我；太坚持自我，又无法沟通。看过素黑的书，对于这个问题，我才有点恍然大悟。她说"爱是个人的修行"，"爱是自我的提升"，而且"只有纯粹地付出才是真正的爱"。原来，付出是为了提升自己，体谅也是为了修炼自己，想让个人心智更进一步，则无谓要求回馈，亦毋须斤斤计较，不要把自己和对方的付出，放于天秤上衡量，自我修行到了哪一个地步，便诚实付出到那个程度。因为"最舒服的爱是自在，不期待别人，不等待自己"，而且"假如付出就是苦，你的爱只剩下苦；假如付出就是福，你的爱便很幸福"。

读过素黑，我也看懂了其他大师们的话，有一种融会贯通之感。在李安的电影《制造伍德斯托克》里，嗑了迷幻药的女生对主角埃利奥特说了一句话："每个人都有自己的观点，正是那些观点，让爱排除在外。"（Everyone has their little perspective. Perspective keeps the love out.）换作是以前的我，肯定无法认同这句话。有自己的观点，这不是很重要吗？读过了素黑，我才明白，原来每个人都以为自己很有想法，因此都不想付出，不愿意耐下心来听听别人的想法，如此，爱当然便不存在了。读叔本华也是一样，他非常欣赏法国作家尼古拉·申富特的话："快乐不是容易的事，在我们自身之中很难找到，在别处更不可能找到。"可见依赖别人施予，是得不到快乐的，只有从爱自己、提升自己做起，才有机会遇上幸福遇上爱。

提升生命的关键

《好好爱自己》抽取了素黑历年来多本著作中的思想与文字精粹，重点式地献给读者，希望你能细细咀嚼，反复玩味，读后必定能有所得着。在人生路上，记得无论是遭遇阻碍，还是伤痛来袭，别紧张别难过，要知道心的方向，由你掌控，必先好好爱自己，才能前进或转向，正如素黑所言："就等你一个决定，生命将瞬间改变。"

素黑：在爱中修行

行者（北京）诗人，流浪修行者，素黑的心灵挚友

最初知道素黑，是在几年前看过她写的一篇有关尺八的文章。那时候，尺八回传中国不久，只有极少的人知道。由于我也是国内吹奏尺八的几个人之一，所以就记住了她。其后认识素黑，大概是在2008年末了。一天，我看到她在我的博客上留言，并留了信箱给我，很是讶异。我们也就开始了交流。

先是写信，我告诉她说，以前我曾认为，放下自己，不用"我见"去表达、生活，那还是我吗？可恰恰相反的是，因为我不肯放下自己，而执著于自我的微小力量，才更加蒙蔽了自己，也无法拥有真正广阔的世界和真正自由的内心。后来才体悟到，走遍重重山水，心安处便是家，外逐无非更替。问她怎么看待，她说，你大概还很年轻吧。我刚39了，感觉像19，生命永远刚开始。有执著也不是坏事，执著也是让我们修行的工具而已。小小我执，当是甜品。逍遥一点观自身，会轻松很多

的，能量也正面潇脱。我信任你是修心的人。我们想的也是一样的，接受比执著放下更人性，合乎道。

再后来，是我们相互谈论自己的人生历程，尤其是流浪，这是我们生命中都比较重要的部分。我大略说了自己多年来的流浪经历和人生变改后，素黑给我回了信，也说了她的生命经历和变改。素黑说，她也想和我一样的流浪，但毕竟是个女性，一个年轻女性在路上会有多不便或危险。她自小爱好思想，一直觉得自己没有一般人的童年和少年时代，以至于后来喜欢自闭，喜欢简单和纯粹的事物，直到大学快毕业时，投身到文化艺术的活动中，才稍微积极了起来。但那时候，正值香港回归中国的时期，她更要尽自己的努力在社会的躁动中保存自由和生命力。而心态彻底的从极端的负面转到正面，则是缘于1997年她在英国南部海边的布莱顿的一段隐居生活。那段时间里，她说她第一次感到爱的美丽，也由此奠定下了她后来在心性治疗和爱上的道路，包括她如今所做的"声音治疗法"等。她这样描述"声音治疗法"的好处，说："在我看来，声音是存在的核心，也是接通内在最敏感和强大的能量，而宁静是生命无限的祝福，从声音中能够找出更纯粹更震撼的静心状态……"

这是我第一次对她的人生有了较为全面的接触和认识。这次通信的一年后，我离开隐居的正福草堂再度回到了城市，去了北京。正巧不久后素黑也来北京做心性治疗的演说，我们便也就有了见面的机会。但寻求她帮助的人很多，时间很短，我们只约在共生书院的讲堂中会面。当我敲开门后见到她时，一身黑色的素衣，眼神明亮，平静又大气，手中拿着一支黑色的尺八。我没有想到她是如此朴素。对坐稍谈不久，我们就开始了互换尺八吹奏，及傍晚，她用最后的闲余时间和我一起去楼下的饭馆吃饭，点有两三个素菜，并请厨师少放油盐，不放味精鸡精。

她的助手朋友随后告诉我说，她每次来都是在附近的小餐馆吃饭，从不计较，最爱吃是六块钱一碗的素面。知游文化的创立人陈旭军曾经劝她换个口味，说胡因梦是乐于享受生命的。她仍然是笑笑，一成不变地在这里吃些最简单的饭菜，更像是已经接受了一切生命。这令我对她的印象很深。即使是后来我们在不同地方的再见面、交谈，依然是维系着这样的习惯和观念。

另一次，记得我曾经问素黑，心理治疗和心性治疗有什么不同，素黑说她不想比较。前不久偶然忆起她给我发过的几张香港海边的照片，她说自己现在就住那里，尤其是在冬天，香港的海有着往常没有的好景象。她常常于海边散步，倾听海浪声，甚或也去台湾拥抱2000多年树龄的老树。我想，也许心性上的治愈和获益，是会更加久远和稳固的吧，也是极为真诚的。2010年的岁初，我遵循弘一大师的足迹，再次于全国许多地方行走，在杭州又与素黑见了面，并一起和我的老师冢本老人学习尺八。雨后的一天下午，素黑和我约在旅馆的房间里继续互换尺八交流尺八的吹奏法。我们吹尺八前，只纯粹的看着旅馆窗外的大树，西湖的浅岸和水浪就在眼前。我们安静不动，窗前的大树和湖水更像是恒久存在的，一切其后也都静止了下来。直到傍晚，我才因有事起身离开。素黑后来对我说，这是我们最好的灵性交流记忆之一，我也受益匪浅。而深思这背后的智慧和她对我的帮助，从我和她最初的交流到如今的熟识，从她告诉我的生命历程到我自己观察到的她。我曾经思维过多次，她的沉静、积极心、纯粹、灵性、朴素，无论是哪一种的呈现，都离不开两个词：爱和修行。这两个词语，在她身上，又是一直贯穿下来的。并且，常常通过她心性治疗师、作家、声音治疗师等多重合一的身份，分享于他人，使他人也得到心灵上的愉悦。

这在当今的浮华时代和城市焦虑综合征中，更是难能可贵且值得我们珍惜的。

图书在版编目（CIP）数据

好好爱自己 / 素黑著. -- 北京：中信出版社，2012.4

ISBN 978-7-5086-3257-5

Ⅰ. 好… Ⅱ. 素… Ⅲ. 人生哲学 – 通俗读物 Ⅳ. B821-49

中国版本图书馆CIP数据核字(2012)第031700号

好好爱自己
HAO HAO AI ZIJI

著　　者：素黑
策划推广：中信出版社（China CITIC Press）
出版发行：中信出版集团股份有限公司（北京市朝阳区惠新东街甲4号富盛大厦2座 邮编 100029）
　　　　　（CITIC Publishing Group）
承 印 者：三河市中晟雅豪印务有限公司
开　　本：700mm×940mm　　1/16
印　　张：17.75　　　　　　　　　　字　　数：字数150千字
版　　次：2012年4月第1版　　　　　印　　次：2013年11月第5次印刷
书　　号：ISBN 978-7-5086-3257-5/G·793　广告经营许可证号：京朝工商广字第8087号
定　　价：32.00元